Guía para

LOGRAR TUS METAS

de Napoleon Hill

Guía para

LOGRAR
TUS METAS

de Napoleon Hill

FUNDACIÓN NAPOLEON HILL

Publicado y Distribuido por:

SOUND WISDOM
PO Box 310
Shippensburg, PA 17257-0310
717-530-2122

info@soundwisdom.com

www.soundwisdom.com

ISBN 13:978-1-64095-459-5

ebook: 978-1-64095-460-1

Para distribución mundial. Impreso en los Estados Unidos de América

1 2024

CONTENIDO

CONTENIDO

INTRODUCCIÓN

En esta *Guía para lograr tus metas,* Napoleon Hill delinea su filosofía del éxito que incluye Desarrollar un Propósito Principal Definitivo, que es crear un estado mental necesario para tomar acción para lograr tus propósitos en la vida. El enfoque se centra especialmente en la Iniciativa Personal, la Alianza de la Mente Maestra, Hacer Más de lo Esperado, y Aprender de la Adversidad.

La iniciativa personal cita las cualidades de un líder efectivo y las herramientas necesarias para lograr tus objetivos. Aunque posiblemente te falten las habilidades básicas que se necesitan para tener éxito en algún emprendimiento en particular, cuando enumeras los talentos que sí tienes, has creado la iniciativa y la motivación para crear una empresa rentable o para avanzar tu carrera.

La *Alianza de la Mente Maestra* es un principio definido como dos o más mentes que trabajan juntos en perfecta armonía para lograr un Propósito Principal Definitivo. Aprenderás de cuatro beneficios principales al aplicar este principio; los cuales

funcionan en los negocios, matrimonios, y todo gran emprendimiento. El Sr. Hill provee un número de consejos prácticos en
cuanto a cómo seleccionar los miembros y administrar los asuntos de una Alianza de la Mente Maestra.

Hacer más de lo esperado es un principio que te ofrece cinco
beneficios: 1)recibir compensación en exceso del valor del servicio rendido; 2) lograr mayor fuerza de carácter 3) aumentar
una actitud mental positiva; 4) experimentar un aumento en
autoconfianza, iniciativa personal y entusiasmo; 5)la seguridad
de siempre tener un empleo. Cada uno se explica de manera
práctica, suficiente para la implementación inmediata.

Aprender de la Adversidad es el más filosófico al compartir
Napoleon Hill lo que ha aprendido en el trayecto de su vida en
cuanto a obtener, perder y volver a obtener riquezas financieras. Se revelan cuatro causas mayores por el fracaso en la vida
las cuales, si se evitan, eliminan la necesidad de aprender de la
adversidad. También habla de los beneficios de experimentar
la adversidad: 1)adoptar hábitos más sanos; 2)eliminar vanidad
personal; 3) tomar inventarios personales; 4) fortalecer tu poder
de voluntad; 5) cambiar tus asociaciones insatisfactorias por
otros.

Esta *Guía para lograr tu metas* te dice cómo usar principios
probados para obtener el éxito, pero no solo el éxito financiero.
Las herramientas de Napoleon Hill te ayudan a obtener felicidad
y paz mental, ya sea en forma de éxito monetario o de alguna
otra manera, dependiendo de tu Propósito Principal Definitivo.

Para estimular ideas, formular planes y hacer cumplir los propósitos, se han incluido preguntas al concluir cada capítulo. Se espera que estas preguntas ayuden a afectar tu avance hacia lograr tus metas.

Los que formamos parte de la Fundación Napoleon Hill esperamos que este libro, nunca antes publicado, por este gran estudiante y maestro de los principios de logro personal te ayuden a alcanzar ese punto en la vida cuando habrás cumplido todos tus planes y alcanzado todas tus metas.

Don M. Green
Director General y Ejecutivo
Fundación Napoleon Hill

Para escribir tu propia historia de éxito, ¡define tu Propósito Principal Definitivo!

1

INICIATIVA PERSONAL

Uno de los norteamericanos más ricos en la historia fue Andrew Carnegie, quien dijo que existen dos clases de personas que nunca llegan a lograr nada: aquellos que nunca hacen los que se les dice que hagan y los que nunca hacen más de lo que se les dicen que hagan. Por el otro lado, la persona que sí avanza es la que hace lo que debe hacer sin que le que digan, y que hace mucho más de los que se espera o demande que haga.

Puedes escribir tu propia historia de éxito cuando defines tu *Propósito Principal Definitivo*, que incluye implementar los siguientes siete factores:

1. Saber que el punto inicial de todos los logros es la adopción de un *propósito* definitivo acompañado por un *plan* definitivo para su obtención seguido por una *acción* apropiada.

2. Todos los logros individuales son el resultado de un *motivo* o una combinación de los siguientes motivos:

amor, sexo, riquezas materiales, autopreservación, libertad de cuerpo y mente, expresión y reconocimiento personal, perpetuación de la vida después de la muerte, venganza, temor.

3. Cualquier *idea, plan o propósito dominante* es asumido por la mente subconsciente y se actúa sobre él mediante cualquier medio natural y lógico disponible.

4. Cualquier *deseo, plan o propósito dominante* –respaldado por el estado mental conocido como fe– es asumido por la mente subconsciente y puesto en práctica casi inmediatamente.

5. El *poder del pensamiento* es la única cosa sobre la cual tenemos control completo e incuestionable.

6. La *mente subconsciente* parece ser la única puerta de acercamiento individual a la inteligencia infinita. La base del acercamiento es la *fe* basada en la definitividad de propósito.

7. Todo *cerebro* es tanto un aparato emisor y una estación receptora de pensamiento.

Una explicación detallada, profunda y comprensiva de un Propósito Principal Definitivo y estos siete factores se encuentran en *La ciencia del logro personal* así como en *Mente Maestra* por Napoleon Hill.

¡LA INICIATIVA PERSONAL ES EL PODER QUE EMPIEZA TODA ACCIÓN!

La iniciativa personal es una cualidad prominente de todos los líderes exitosos en el campo de emprendimiento. Incluye:

- Motivación que continuamente persigue tu Propósito Principal Definitivo
- Una Alianza de la Mente Maestra para obtener tu propósito definitivo
- Autodependencia en proporción al alcance y el objeto de tu propósito principal
- Autodisciplina para asegurar el dominio de la cabeza y el corazón para sostener tus motivos
- Persistencia, basada en tu voluntad para ganar
- Una imaginación bien desarrollada, controlada y dirigida
- El hábito de llegar a decisiones definitivas y prontas
- El hábito de basar todas las opiniones en hechos conocidos y no suposiciones

- El hábito de Hacer Más de los Esperado
- La capacidad de generar entusiasmo a voluntad y de controlarlo
- Un sentido bien desarrollado de observación de detalles, grandes y pequeños
- La capacidad de soportar la crítica sin resentimiento
- Familiaridad con los nueve motivos básicos que inspiran toda acción humana
- La capacidad de concentrar toda tu atención en una tarea a la vez
- La voluntad de aceptar la responsabilidad completa por los errores de subordinados
- El hábito de reconocer los méritos y las habilidades de otros
- Una actitud mental positiva en todo momento
- El hábito de asumir responsabilidad completa por cualquier tarea o trabajo emprendido
- La capacidad para la fe aplicada
- Paciencia con subordinados y asociados
- El hábito de completar toda tarea que empiezas
- El hábito de anteponer la minuciosidad a la rapidez
- Confiabilidad
- La habilidad de reconocer las oportunidades presentadas por toda derrota temporal

INICIATIVA PERSONAL +
PLAN ORGANIZADO DEFINTIVO +
MOTIVO DEFINITIVO =
LIDERAZGO EXITOSO

Existen otras cualidades de menor importancia que el liderazgo requiere, pero esta es la lista *obligatoria* de todos los líderes hábiles. Puedes medir a cualquier líder exitoso con esta lista y observar cuántas de estas características tiene, aun si es inconscientemente.

La Iniciativa Personal, para ser una cualidad efectiva de liderazgo, tiene que basarse en un plan organizado definitivo, inspirado por un motivo definitivo, y completado hasta el final.

Durante la Segunda Guerra Mundial, Henry J. Kaiser asombró a todo el mundo industrial con todos sus logros de rapidez y eficiencia en la construcción de barcos. Sus logros fueron todavía más asombrosos porque él nunca antes había construido barcos. El secreto de su éxito fue su habilidad de liderazgo.

La causa más común del fracaso es el *hábito de andar sin rumbo* en la vida sin un Propósito Definitivo Principal. Las personas con Iniciativa Personal no se van a la deriva, no postergan, no se quejan por la falta de oportunidades–*actúan en base a su propia responsabilidad* y crean oportunidades para ellos mismos.

EMPIEZA AHORA

Actúa en base a tu propia Iniciativa Personal; nadie actuará por ti. Empieza ahora, justo donde estás. Adopta un Propósito Principal Definitivo, elabora un plan para su obtención, y sigue adelante con trabajar el plan. Si el plan no funciona, cámbialo por otro, pero *no* necesitas cambiar tu propósito.

Puede que no tengas todas las cosas materiales necesarias para cumplir tu propósito, pero ten esperanza por el hecho de que a medida que hagas el mejor uso posible de los materiales que tienes, otros y mejores materiales se pondrán a tu disposición, si estás listo para recibir y usarlos.

La mente que se ha preparado para recibir atrae lo que necesita, así como un imán electromagnético atrae el fierro. ¿Qué mayor oportunidad, por lo tanto, podrías dar a la Iniciativa Personal que la de condicionar tu propia mente para atraer lo que necesitas?

La parte más difícil de cualquier tarea es *iniciarla*. Pero una vez que se le ha dado inicio, los medios para su logro se presentan solos. La verdad de esto se ha probado por el hecho de que las personas con un Propósito Principal Definitivo son más exitosas que los que no tienen un objetivo.

Y todavía no hemos encontrado a nadie que haya llevado un Propósito Principal Definitivo hasta el éxito y no haya admitido fácilmente que la adopción de dicho propósito fue el punto de inflexión de mayor importancia de su vida.

Una mente preparada llena de esperanza y con un plan definitivo atraerá oportunidades.

EL ÉXITO NO ES POSIBLE SIN UN PROPÓSITO ESPECÍFICO.

Nadie puede decir cuál debe ser el Propósito Principal Definitivo de otra persona en la vida, pero cualquier persona exitosa verificará el hecho de que el éxito no es posible sin tal propósito.

Adopta un Propósito Mayor Definitivo y verás con qué rapidez el hábito de actuar por tu propia Iniciativa Personal te inspirará a la acción para llevar a cabo el objeto de tu propósito. Tu imaginación se volverá más alerta y te revelará innumerables oportunidades relacionadas con tu propósito.

La oposición a tu propósito desaparecerá y la gente te prestará su amistosa cooperación.

El temor y la duda también desaparecerán. Y en algún punto del camino te encontrarás cara a cara con tu "otro yo", ese yo que puede llevarte y de hecho te llevará al lado del éxito en la vida.

A partir de ahí, el camino será fácil y el camino estará despejado, porque te habrás adaptado a *las grandes fuerzas intangibles de la Naturaleza* que conducen inevitablemente a la obtención del objetivo que has elegido en la vida.

Entonces te preguntarás por qué no habías encontrado el camino antes, y comprenderás por qué el éxito atrae más éxito, mientras que el fracaso solo atrae más fracaso. Todas las personas exitosas siguen el hábito de actuar según su propia Iniciativa

¡EL ÉXITO ATRAE MÁS ÉXITO!

Personal, aunque algunas apliquen este principio inconscientemente. La mayoría de los fracasados van a la deriva por la vida, sin rumbo, sin plan ni propósito; sus esfuerzos se disipan por falta de Iniciativa Personal para llevar a término su Propósito Principal Definitivo.

Algunos ejemplos sobresalientes de personas que se actuaron con Definitividad de Propósito, expresada a través de la Iniciativa Personal:

- Cristo, en precepto moral e inspiración espiritual
- Cristóbal Colón en exploración y navegación
- Thomas A. Edison, en el descubrimiento y aprovechamiento de las leyes naturales; en la combinación de los principios de la ciencia en nuevas disposiciones; en el campo de la invención
- Guglielmo Marconi, en la ciencia y la invención en el campo de la comunicación inalámbrica
- Walter P. Chrysler, en la producción de automóviles fiables y de precio popular
- Mahatma Gandhi, en la lucha contra la ignorancia y la superstición entre su pueblo en la India

- Napoleón Bonaparte, en operaciones militares
- Isaac Newton, en el estudio de las leyes naturales, en particular la ley de la gravitación
- Orville y Wilber Wright, en el campo pionero de la aeronáutica
- Abraham Lincoln, en la preservación de la unidad de los Estados Unidos de Norteamérica
- Luther Burbank, en botánica y leyes naturales
- Marshall Field, en el comercio minorista moderno
- James J. Hill, como pionero en la construcción y operación de ferrocarriles
- John D. Rockefeller, en la industria y la filantropía
- Louis Pasteur, en la lucha contra las enfermedades físicas
- Marie Curie, en el descubrimiento de la radiactividad y sus aplicaciones médicas
- George Washington, en operaciones militares y como estadista
- Benjamin Franklin, como estadista, en negocios, filosofía y ciencia
- Dr. Alexander Graham Bell, en ciencia e invención

Recuerda siempre que la acción es la consecuencia natural de la Iniciativa Personal, y que la acción es uno de los principales fundamentos de todos los logros personales.

LA INICIATIVA PERSONAL DE UN FONTANERO

En una ciudad sureña de alrededor de 10.000 habitantes vivía un hombre muy sencillo quien adquirió fama y fortuna local debido a su uso de Iniciativa Personal.

Como este hombre tenía menos habilidad y educación de lo promedio, es interesante observar cómo logró éxito notable al levantar un negocio sustancial que lo ha hecho un hombre con más recursos financieros e influencia en su comunidad de lo ordinario.

Él no poseía talentos que serían naturalmente asociados con sus logros distintivos. Como empleado de un establecimiento de fontanería, demostró ser torpe, y obviamente carecía de la habilidad del fontanero promedio.

Porque su capacidad como fontanero no era satisfactoria, su empleador quiso ver si funcionaría como vendedor, pero para nada mostró ser prometedor en ese papel.

Aunque no había recibido capacitación universitaria, había completado la escuela superior y podía escribir de una manera muy clara y legible. Por tal motivo, su empleador decidió que posiblemente sería un tenedor de libros satisfactorio. Pero nuevamente, los resultados fueron desalentadores tanto para su empleador como para él mismo. Sin embargo, durante su experiencia de contabilidad, se dio cuenta quizá por primera vez que necesitaba hacerse un inventario personal.

Tomó un tiempo libre de su trabajo, se fue a un lugar tranquilo y escribió deliberadamente una lista de las mejores cualidades que sabía que poseía:

1. El hábito de ahorrar dinero.

2. La habilidad de estimar los costos de un trabajo de fontanería acertadamente.

3. La habilidad de reconocer las habilidades superiores de otros.

4. Persistencia en cualquier tarea que le fuera asignado hasta completarla.

5. La habilidad de inducir a otros a trabajar juntos en un espíritu de armonía.

Con esta lista de buenas cualidades delante de él, este plomero mediocre decidió ejercer su propio juicio, actuar en base a su propia Iniciativa Personal, e iniciar un negocio de fontanería propio.

Usando sus escasos ahorros, alquiló un modesto almacén e hizo colocar en las ventanas el nombre de su recién organizada empresa de fontanería. Casi de inmediato, el mejor fontanero empleado por su antiguo patrón acudió a él y le pidió voluntariamente el privilegio de trabajar con él, con el salario que pudiera pagarle.

Entonces, el nuevo empresario de plomería observó a su alrededor hasta que encontró a un vendedor capaz y a un hombre

ENUMERA TUS BUENAS CUALIDADES, DECIDE EJERCER TU PROPIO JUICIO, ACTÚA EN BASE A TU PROPIA INICIATIVA PERSONAL, Y LÁNZATE A UNA VIDA EXITOSA.

de contacto. También contrató a un estudiante universitario que podía llevar la contabilidad a tiempo parcial. Con buen criterio, seleccionó a otros empleados que necesitaba. A medida que su negocio crecía, fue añadiendo otros trabajadores calificados a su personal.

Tras elegir sabiamente a sus ayudantes, siguió adelante con su Propósito Principal Definitivo: convertirse en el principal contratista de fontanería de su ciudad.

En poco tiempo, consiguió grandes contratos para varios edificios nuevos. Supervisó cuidadosamente todas las obras. Al cabo de unos años, la gente de todo el condado empezó a solicitar sus servicios porque se había forjado una reputación de servicio de alta calidad y fidelidad en el cumplimiento de sus contratos.

Con un ojo puesto en la economía, empezó a observar los alrededores en busca de formas de ampliar su planta y aumentar su equipo y suministros.

A tres kilómetros de la ciudad encontró una fábrica de calcetería vacía, con goteras en el tejado y ventanas rotas.

Moviéndose con cautela, preguntó a los propietarios del edificio qué precio querían para el alquiler. Le dieron un precio, pero era un tanto alto, ya que el propietario le explicó que primero tendría que gastar una cantidad considerable en reparaciones.

El fontanero le propuso que le diera el precio más bajo posible por el edificio tal como estaba, sin reparaciones. Para su sorpresa, la cifra que le dieron era inferior a lo que esperaba pagar, y considerablemente inferior a lo que pagaba por su edificio en la ciudad.

Aceptó la oferta, puso a su personal a trabajar en el edificio, reemplazó todos los cristales rotos, reparó el techo y puso el edificio en excelentes condiciones. El propietario del edificio estaba tan satisfecho con las mejoras que voluntariamente concedió al fontanero un contrato de arrendamiento de diez años, al bajo precio de alquiler que se había acordado.

En menos de diez años el fontanero había aumentado tanto su negocio que estaba en condiciones de comprar el edificio. Mientras tanto, había ido añadiendo trabajadores calificados hasta tener la mejor organización en el negocio de la fontanería de su comunidad.

No hay nada dramático o inusual acerca de esta historia, pero por eso se ha relatado. Este fontanero empezó sin nada más que un Propósito Principal Definitivo y una pequeña cantidad de ahorros, pero al ejercer su propia iniciativa levantó un negocio rentable, paso a paso.

EMPIEZA

Esta es exactamente la manera en que han empezado la mayoría de las personas exitosas que se dedican a los negocios. Empiezan de forma humilde y con pocas ventajas, pero lo importante es que lo hacen por iniciativa propia.

Casi no se encuentran grandes industrias en los Estados Unidos que no hayan empezado en circunstancias humildes. Henry Ford, por ejemplo, empezó en un pequeño edificio de ladrillo de un solo cuarto, no más grande que una herrería ordinaria. Thomas A. Edison empezó en circunstancias similares.

¡Pero empezaron! Eso es lo importante que debe recordar cualquier persona que desee emprender un negocio por sí mismo. Tiene que empezar, y tiene que hacerlo por su propia Iniciativa Personal.

El Creador proveyó a la humanidad de muchos métodos ingeniosos para llevar a cabo el plan divino para el avance humano, entre los cuales destaca la influencia que recibimos para dar lo mejor de nosotros mismos, debido a los motivos atractivos que han sido sembrados en nuestra mente. El motivo del amor, el motivo del sexo, el motivo del deseo de seguridad económica: estos son los tres motivos más impulsores de todos los que inspiran a los hombres a avanzar en su Iniciativa Personal.

Los motivos del amor y del sexo forman una combinación por medio de la cual el Creador ha provisto la perpetuación de la vida humana. Estos motivos se han hecho tan atractivos que difícilmente puede un hombre elegir rechazar su influencia. El Creador ha provisto que la vida en esta tierra continúe

¡La iniciativa
personal
nace de un motivo!

según Sus planes, independientemente de lo que las personas puedan pensar que quieren y de los motivos a los que puedan atribuir los resultados de su Iniciativa Personal.

Henry Ford puede haber creído, por ejemplo, que le motivaba el deseo de obtener beneficios económicos, o puede haber creído que le motivaba su orgullo por los logros conseguidos, a través de los cuales estableció un gran imperio industrial que da empleo, directa e indirectamente, a muchos millones de personas. Pero lo que puede que nunca supiera, y no era esencial que lo supiera, es el hecho de que, a través de sus esfuerzos, millones de personas están motivadas para llevar a cabo los planes del Creador mediante el desarrollo de sus mentes, a través de su Iniciativa Personal.

Éste es un hecho bien conocido por todo psicólogo, pero puede que no todos reconozcan la posibilidad de que detrás de todas las expresiones de Iniciativas Personales esté el plan del Creador para asegurar a las personas el crecimiento mental y espiritual a través de sus propios esfuerzos.

Dos hechos sobresalen como el sol en el cielo en un día despejado:

1. Los Estados Unidos de Norteamérica ha crecido hasta convertirse en una de las naciones más prósperas del mundo y se ha convertido en la "cuna de la libertad humana" a una escala que la ha convertido en un ejemplo a observar y emular por todo el mundo.

2. La característica más sobresaliente de las personas norteamericanas en su conjunto es su

EL CEREBRO HUMANO SE DESARROLLA SOLO POR EL USO, A TRAVÉS DE LA INICIATIVA PERSONAL.

conocida costumbre de moverse por su propia Iniciativa Personal.

Y parece obvio que no ha sido un mero golpe de suerte lo que ha bendecido a los estadounidenses con estos dos beneficios sobresalientes, gracias a los cuales se les han provisto de privilegios de crecimiento y progreso sin paralelo.

El privilegio de actuar por nuestra propia Iniciativa Personal eclipsa cualquier otro privilegio del que disfrutemos; este privilegio de la libre empresa a través del cual las personas más humildes pueden elegir sus propios motivos y vivir sus propias vidas y acumular riquezas en cualquier forma y cantidad que deseen.

Motivados por la inspiración de motivos de su propia elección, los líderes de la industria estadounidense nos han dado el sistema industrial más destacado del mundo. Este sistema provee la mayor parte de todos los puestos de trabajo, relacionados o no con la industria, y un sistema que paga la mayor parte de todos los impuestos tanto a nuestro gobierno estatal como al federal.

El conjunto de lo que llamamos *el modo de vida estadounidense* es la riqueza, la habilidad y la experiencia acumuladas de

EL MUNDO NECESITA QUE ACTÚES POR TU INICIATIVA PERSONAL Y DEFINITIVIDAD DE PROPÓSITO.

las personas que han actuado por su propia *Iniciativa Personal*. Su Definitividad de Propósito hizo de nuestra nación lo que es hoy.

Y lo que necesitaremos en el futuro, para aprovechar al máximo esta nueva era de oportunidades que ha nacido, es más hombres y mujeres con *visión creativa, Definitividad de Propósito y un motivo* que les inspire a avanzar en su Iniciativa Personal.

El mundo cambiado que nos hemos visto forzados a aceptar, a través de las circunstancias de las Guerras Mundiales y similares, ha multiplicado tanto nuestras necesidades y nuestras oportunidades que ahora estamos experimentando una escasez de liderazgo en casi todas las industrias, negocios y profesiones.

FORD Y EDISON

Además de los empleados directos de la compañía Ford, se agregan muchos millones de hombres y mujeres que trabajan indirectamente en el suministro de gasolina, aceite, neumáticos, madera, acero, lente, cuero y otros materiales necesarios para la construcción y el mantenimiento de los automóviles Ford, por no mencionar a los empleados de los talleres de reparación de automóviles y garajes de todo el país.

En enero de 1938, el *New York Times* publicó un reportaje sobre las operaciones de Ford, estimando que la industria Ford era responsable del empleo, directo e indirecto, de más de 6.000.000 de hombres y mujeres, es decir, un número mayor que la población de la mayoría de las ciudades estadounidenses, y considerablemente mayor que la población de algunos países extranjeros.

Y aún no hemos oído la historia completa de un solo individuo que opera bajo un sistema de libre empresa que reconoce y recompensa adecuadamente la Iniciativa Personal. Henry Ford inspiró la construcción de carreteras mejoradas por toda la nación, cada metro de las cuales ha añadido un valor inconmensurable a las tierras por las que pasan. Además, el Sr. Ford fue responsable, indirectamente, del empleo de incontables miles de hombres que proveen cemento, grava, mano de obra y otros materiales necesarios para la construcción y el mantenimiento de estas autopistas.

Pero la historia aún no se ha contado del todo. Hoy se puede comprar un automóvil mejor y más fiable que hace veinticinco años. Al tiempo que aumentaba constantemente los salarios y daba empleo a un número cada vez mayor de hombres y mujeres, el Sr. Ford reducía constantemente el costo de sus automóviles.

¿Podría algún sistema de funcionamiento bajo control gubernamental siquiera acercarse a igualar lo que el Sr. Ford logró por su propia Iniciativa Personal?

¿A quién le faltaría tanto el juicio como para querer estrangular esa Iniciativa Personal a través de un sistema de impuestos altos, o de regimentación gubernamental, o de regulación por parte de políticos teóricos que aspiran al dinero de otras personas para usarlo para sus operaciones?

La industria Ford no es más que una de los muchos miles de industrias similares que han nacido por los mismos métodos que adoptó el Sr. Ford, la mayoría de las cuales empezaron –como empezó el Sr. Ford– por la aplicación de la Iniciativa Personal de personas que no temían empezar modestamente, con poco capital.

Cualquier persona que quiera suprimir por ley la Iniciativa Personal de hombres como Henry Ford, sin duda nunca ha oído hablar del hombre que mató a su preciada gallina que ponía huevos de oro con la esperanza de conseguir todos los huevos con una sola operación. Cuando la Iniciativa Personal ha sido estrangulada, o restringida por cualquier medio hasta el punto de disminuir, ya no seremos la nación "más rica y más libre" del mundo.

Thomas A. Edison es otro ejemplo de lo que ocurre cuando un hombre se inspira en su propia Iniciativa Personal.

No se dispone de ningún registro auténtico de la riqueza añadida a esta nación a través de la iniciativa personal del Sr. Edison, pero podemos obtener una estimación razonable de la misma mediante un breve análisis de solo tres de sus principales inventos: 1) la lámpara incandescente; 2) el fonógrafo; 3) la cámara de cinematografía.

¡LA INICIATIVA PERSONAL ES, SIN COMPARACIÓN, EL MAYOR ACTIVO DE ESTA NACIÓN!

Tomemos el primer artículo, por ejemplo, y hagamos un pequeño cálculo de la riqueza que ha producido y sigue produciendo, y de los empleos que proporciona. Para llegar a la cantidad de riqueza que ha creado la lámpara eléctrica incandescente, habría que sumar el valor de todas las plantas de energía eléctrica, todos los accesorios eléctricos y todos los salarios que se han pagado y se pagan a los trabajadores en este campo. La suma sería tan grande que asombraría a la imaginación de la persona más imaginativa, y ascendería a muchos miles de millones de dólares.

Los hombres y mujeres empleados en la industria eléctrica son cientos de miles, y la cantidad que se les paga anualmente en salarios asciende a una suma estupenda. La cantidad pagada en impuestos por las empresas de energía y equipos eléctricos asciende a otros millones de dólares anuales.

Eso sí, todo esto surgió de una sola idea, nacida en la mente de un hombre que era libre de actuar según su propia Iniciativa Personal, pero fue una idea que dio origen a la gran era eléctrica que estaba destinada a beneficiar a la humanidad en todo el mundo, de formas demasiado numerosas para mencionarlas.

UNA SOLA IDEA PUEDE DAR A LUZ BENEFICIOS INCONTABLES PARA TI, TU COMUNIDAD, NACIÓN, AUN TODO EL MUNDO.

¿Habría sido esta nación más rica, o habría estado mejor de manera alguna, si la Iniciativa Personal del Sr. Edison hubiera sido restringida, sometida o suprimida por cualquier medio?

La pregunta parece ridícula, ¿no es así?

Consideremos el segundo artículo, la máquina parlante (fonógrafo) y su vástago, la película parlante (cámara de cinematografía), productos de la iniciativa personal de Edison que han crecido hasta convertirse en una industria de vastas proporciones, de valor inconmensurable en términos de dinero y empleo rentable.

La industria cinematográfica por sí sola ha creado fortunas increíbles, por no mencionar su valor de entretenimiento y educativo. Una gran parte del dinero se destina a los actores, algunos de los cuales ganan más de lo que se le paga al Presidente de los Estados Unidos, aunque muchos de ellos no podrían ganar más que el salario medio en cualquier otra profesión.

¿Desearía alguien volver a usar velas de sebo y la lámpara de aceite? ¿Desearía alguien verse privado del entretenimiento cinematográfico? ¿Sería alguien tan radical como para creer que esta nación habría sido tan rica, o habría estado tan bien en otros

33

aspectos demasiado numerosos para mencionarlos, si se hubiera privado a Thomas A. Edison del privilegio de avanzar por su propia Iniciativa Personal al dar al mundo una multiplicidad de inventos útiles?

Supongamos que todas las industrias Ford, y todas las industrias eléctricas nacidas de la iniciativa de Thomas A. Edison, se retiraran repentinamente y dejaran de funcionar. O supongamos que los impuestos y la interferencia del gobierno las forzaran a cerrar. ¿Hay alguien tan ignorante como para creer que los millones de hombres y mujeres que se ganan la vida y se inician en el mundo a través de estas industrias estarían mejor?

No estrangulemos el liderazgo estadounidense en la industria con la creencia errónea de que la intervención del gobierno es la forma de ayudar a los débiles y a los pobres, pues es obvio que sin este liderazgo todos quedaremos relegados a esa clase que, como dijo una vez un gran filósofo, "siempre estará con nosotros".

La mejor manera de ayudar a los débiles y a los pobres es añadir incentivos a los ricos y a los fuertes para que actúen según su Iniciativa Personal, como hicieron Edison y Ford, pues evidentemente las personas como estas que pueden, y que siempre lo han hecho, han ayudado a los débiles y a los pobres a ayudarse a sí mismos a través de empleos rentables diseñados para inspirar a las personas a actuar según su propia Iniciativa Personal. Les han ayudado al asumir una parte importante de las cargas fiscales de la nación y les han ayudado mediante métodos eficientes de producción en masa que han puesto las necesidades y los lujos de la vida al alcance de todos.

EL CRECIMIENTO MENTAL Y ESPIRITUAL PRODUCE PROGRESO Y ÉXITO.

INCENTIVO

Nadie nunca hace nada voluntariamente sin un incentivo. El incentivo del beneficio ha sido responsable del modo de vida estadounidense. Si no hubiera existido el incentivo del beneficio, no habría industria automovilística Ford, con sus plantas de producción extensivas, sus millones de hombres y mujeres bien pagados y su enorme inversión en equipos y materiales.

La industria privada, basada en un liderazgo inspirado por el incentivo del beneficio, es la única esperanza de prosperidad duradera en Norteamérica. También es la única esperanza de progreso individual, porque todo progreso y todo crecimiento espiritual y mental de la persona se detiene cuando se atrofia la Iniciativa Personal. No se trata de una teoría creada por el hombre; forma parte del plan del Creador para forzar a los humanos a avanzar y ascender, mediante el *crecimiento a través de la lucha.*

Ni toda la sabiduría combinada de la humanidad puede comprobar que esto no sea cierto. Pero la persona más humilde puede, mediante el razonamiento más elemental, observar que sí es cierto. A veces oímos a las personas jactarse de que "el día de las grandes fortunas personales ha pasado". Si esto es cierto, entonces el día del progreso americano también ha terminado.

Pero no es cierto. Todavía tenemos hombres y mujeres en los Estados Unidos que se niegan a dejarse intimidar por los filósofos insensatos. Son personas valientes y de carácter sólido que seguirán construyendo y ampliando el alcance del gran estilo de vida norteamericano, personas que poseen las cualidades espirituales necesarias para reconocer que el progreso humano forma parte del plan del Creador.

Una de las mayores debilidades de quienes desean "exprimir a los ricos" consiste en que su envidia pesa más que su razón. Pertenecen a los "que no tienen", y por lo tanto odian a quienes, gracias a su habilidad e inteligencia y a su Iniciativa Personal, han acumulado seguridad económica para sí mismos.

Son los socialistas y los comunistas que creen que otros hombres deben compartir con ellos lo que otros han acumulado, ¡pero no tienen nada propio que compartir! Es una locura que una persona pensante se deje influir por esos socialistas y comunistas. No representan el verdadero espíritu americano de Iniciativa Personal y autodeterminación, pues creen en obtener algo a cambio de nada.

EDUCACIÓN

La educación es esencial para el progreso humano, pero no la clase de educación que aboga por reprimir a los hombres y mujeres inspirados por la motivación de obtener ganancias para construir y crear a través de la expresión de su Iniciativa Personal.

La verdadera educación no procede enteramente de fuentes académicas. La mayor parte de toda educación práctica procede de la experiencia humana, de la lucha, de intentar y fracasar y luego volver a intentar. La palabra "educar" procede del latín educio, o educere, que significa educar, sacar, *desarrollar desde dentro*.

Y la mayor inspiración para desarrollar desde dentro es lo que proporciona a las personas el motivo para crear, construir, acumular propiedades, proveer empleo y oportunidades a otros.

Éste es el tipo de motivo que nos ha proporcionado nuestra ciudadanía mejor educada.

CÓMO OPERA LA INICIATIVA PERSONAL

E.H. Brett, de Los Ángeles, California, es un espléndido ejemplo de lo que cualquier persona puede lograr cuando tiene el valor de actuar por iniciativa propia. Ed Brett se trasladó a Los Ángeles hace muchos años, cuando las condiciones comerciales eran malas, y entró a trabajar como empleado nocturno en un gran hotel de apartamentos, con un salario de 70 dólares al mes.

Había deseado posicionarse en un hotel desde que era muy pequeño. Ese deseo cristalizó en un *Propósito Principal Definitivo*, y consiguió el trabajo porque actuó por iniciativa propia y fue tras él.

Tras ocupar su humilde puesto durante varios meses, modificó su Propósito Principal Definitivo y se propuso no solo trabajar en un hotel, ¡sino ser dueño de uno! Así pues, tenía un propósito definitivo, pero no el capital con el cual llevarlo a cabo. Actuando con la creencia de que podría comprar un hotel propio y pagarlo, salió una mañana (actuando por iniciativa propia) y encontró justo el tipo de hotel que deseaba. Al informarse, descubrió que podía comprarlo si disponía de un capital circulante de 3.000 dólares. Pero no tenía ni un centavo extra que pudiera aportar a este propósito.

Decidido a encontrar la forma de llevar a cabo su propósito principal, preguntó a una persona respetada qué debía hacer. Le dijeron que si estaba decidido a apoderarse del hotel, se revelaría una manera que le permitiría hacerlo.

—¿Pero cómo? —preguntó Brett.

—¡Eso —dijo el hombre— no es asunto tuyo! Si plantas una semilla de tomate en la tierra, siempre saldrá un tomate. De manera que depende de ti plantar el pensamiento correcto en tu mente y permitir que la Inteligencia Infinita del universo haga su trabajo. Tu responsabilidad es la de exigir una forma de obtener tu objetivo. Mantén esta actitud y la encontrarás. No puedo decirte cuándo lo encontrarás. Ni yo ni tú podemos decidirlo. Lo encontrarás cuando estés absolutamente listo para ello. Cuando esa semilla, o pensamiento, germine en la mente, como la semilla del tomate en la tierra, tendrás tu hotel. En otras palabras, lo encontrarás cuando estés absolutamente listo para ello.

TU RESPONSABILIDAD ES DEMANDAR UNA MANERA DE OBTENER TU OBJETIVO.

Varias noches después, uno de los huéspedes del hotel, un actor de cine, se acercó al mostrador y entabló conversación con Ed Brett.

—¿Cómo te gusta trabajar aquí, Ed?

—Me gusta mucho el trabajo, pero no pagan mucho y estoy intentando conseguir un hotel propio. Y lo conseguiré también.

—¿Qué te está deteniendo? – preguntó el actor.

—Necesito 3.000 dólares. Eso es lo que me está deteniendo, pero lo conseguiré, ya lo verá.

Para su asombro, el actor le dijo: —Por el amor de Dios, muchacho, si eso es todo lo que se está interponiendo en tu camino, yo puedo dártelo.

Y lo hizo. Entregó a Ed Brett un cheque de 3.000 dólares y se negó a aceptar un pagaré por escrito a cambio, diciendo: —Tu cara me basta. Si tu cara no es buena, tu pagaré tampoco lo será. (El dinero en cuestión se devolvió íntegramente, con intereses).

El Sr. Brett tomó posesión del hotel en virtud de un contrato de arrendamiento con un banco que acababa de embargar a su anterior propietario. El Sr. Brett se dio cuenta de que, para tener éxito y llenar su hotel de huéspedes, era necesario renovar todo el edificio. Calculó al centavo lo que costaría volver a alfombrar todas las habitaciones y pasillos, empapelar todas las habitaciones, pintar todos los cuartos de baño y redecorar el vestíbulo. El costo total era de 12.500 dólares.

Brett razonó que si la mente humana podía concebir un hotel y realizarlo en una semana, seguramente podría encontrar la forma de poner este hotel en buenas condiciones. ¿Qué había más natural que intentarlo con el banco que le había vendido el contrato de arrendamiento? El banco dijo que era absolutamente imposible que pusiera un centavo más en la propiedad. El banco tenía una hipoteca de 90.000 dólares, y esperar que invirtiera otros 12.500 dólares en la propiedad era impensable.

¿Aceptó este joven un "no" como respuesta? Pues no. Durante tres meses, al menos dos veces por semana, recorrió una distancia de treinta millas, haciendo nuevas proposiciones y suplicando al banco que viera la imagen que él veía de este proyecto.

Un día, Brett le dijo a su novia: "La única forma de conseguir ese dinero es ver y hablar con todos los miembros del Consejo de Directores del banco. Creo que puedo presentarles la situación con tanta claridad que me prestarán el dinero". Se concertó la reunión, y tras hablar con el Consejo, Brett cerró su argumento de la siguiente manera: "Señores, me arriesgo a perder 3.000 dólares si ese hotel no se reacondiciona muy pronto. Me doy cuenta de que a ustedes no les preocupan mis 3.000 dólares, pero tienen 90.000 invertidos en ese hotel. ¿Por qué no trabajamos

"CREO QUE PUEDO PRESENTAR LA SITUACION TAN CLARAMENTE QUE ME PRESTARÁN EL DINERO".

juntos? Entonces yo ganaré algo de dinero y ustedes obtendrán ganancias de su propia inversión monetaria también".

El Sr. Brett invitó a los miembros del Consejo a que fueran al hotel y vieran por sí mismos el estado de la propiedad que poseían. Aceptaron la invitación, examinaron la propiedad y le dieron 12.500 dólares, en el entendimiento de que se redactaría un contrato de arrendamiento a largo plazo para sustituir el contrato de cinco años que tenía.

Después de que el hotel estuviera completamente renovado y pareciera nuevo, Brett preguntó al banco si consideraría la posibilidad de venderle la propiedad sin pago inicial, en vez de hacer un nuevo contrato de arrendamiento. Los funcionarios del banco afirmaron que no veían cómo podían hacer tal cosa, pero tras celebrar otra reunión del Consejo, eso es exactamente lo que hicieron. Y el joven Brett pasó a ser el propietario del hotel.

El tiempo necesario para que el Sr. Brett tradujera su Propósito Principal Definitivo en una propiedad hotelera de primera clase no fue más que unos pocos años. ¡Sus planes se hicieron realidad! Descubrió el poder de su propia mente y aprendió a organizarla y dirigirla hacia los fines que deseaba. Ese descubrimiento suele

NO SE PUEDE LOGRAR CUMPLIR TU PROPÓSITO A TRAVÉS DE LA INDECISIÓN, EL TEMOR O LA PROCRASTINACIÓN.

marcar un importante punto de inflexión en la vida de todos los que lo logran.

Siempre hay una manera de que alguien con un propósito definitivo obtenga el objeto de ese propósito. Pero no se revelará ni puede revelarse a través de la indecisión, el temor o la procrastinación.

El Sr. Brett empezó desde cero, encontró el hotel que deseaba, consiguió el capital para comprarlo y se convirtió en propietario de una valiosa propiedad, lo cual no difiere en nada material de cómo Andrew Carnegie compró su primera planta acerera. Y tampoco difiere materialmente de cómo puede cualquier persona lograr realizar una idea similar.

Lo importante es saber lo que quieres.

Lo siguiente en importancia es la valentía de poner en marcha tu Iniciativa Personal para obtener ese deseo.

El Propósito Principal Definitivo del Sr. Brett había estado rondando por su mente durante varios años antes de que encontrara la forma de obtenerlo. Hubiera permanecido en su mente por el resto de su vida si no hubiera tomado las medidas necesarias para hacerlo cumplir.

Conoce lo que quieres, empieza justo donde estás parado, visualízate ya en posesión de ello.

Esta es una verdad profunda: conoce lo que quieres y, a continuación, empieza, en el lugar correcto, a visualizarte como si ya lo tuvieras. Si tu visualización está respaldada por la fe, se te revelarán las maneras y los medios financieros para obtener tus deseos, siempre que sean deseos legítimos y que tengas el derecho moral de realizarlos.

Esta nación abunda literalmente en oportunidades similares para quienes tienen Definitividad de Propósito, además de la Iniciativa Personal y la imaginación y la fe para aprovechar las oportunidades y actuar en consecuencia.

Cualquier persona con una idea comercial sólida siempre puede encontrar abundante capital y otros medios que pueda necesitar para desarrollarla. El sistema estadounidense de libre empresa está concebido de tal manera que busca constantemente a las personas con ideas sólidas que puedan comercializarse. Pero no anima a quienes no tienen ni el valor ni la iniciativa personal para ir tras lo que desean.

PREGUNTAS PARA CONSIDERAR...

1. Al definir tu *Propósito Principal Definitivo,* ¿qué dos de los siete factores desempeñarán los papeles más importantes para lograr tus objetivos? ¿Por qué?

_____

_____

_____

_____

_____

_____

2. De las 24 cualidades enumeradas que requiere un liderazgo exitosos, ¿cuántos de estos rasgos ves en ti mismo, aunque sea de forma inconsciente?

_____

_____

_____

_____

_____

_____

INICIATIVA PERSONAL
+
PLAN ORGANIZADO DEFINITIVO
+
MOTIVO DEFINITIVO
=
ÉXITO

Al considerar la ecuación anterior, completa tu definición personal de cada una de ellas. Un ejemplo breve e incompleto:

Tomaré la iniciativa de adquirir más conocimientos acerca de la propiedad de un restaurante.

+ Mi plan definitivo organizado será investigar los pros y los contras, las estadísticas financieras, hablar con propietarios y empleados de restaurantes actuales, escribir un plan de negocio...

+ Mi motivo definitivo es proveer a mi vecindario de una opción de comida económica donde no exista ninguna...

= Un restaurante exitoso que se haya dado a conocer por su buena comida, su servicio, sus precios razonables y su ambiente acogedor.

_____

_____

_____

_____

_____

3. Ford y Edison fueron dos ejemplos en este capítulo de personas que tomaron la iniciativa de aventurarse en territorios desconocidos de ideas. ¿Quiénes son dos de las personas que más recientemente se aventuraron en territorios desconocidos y, en consecuencia, cambiaron el mundo? A menor escala, piensa en alguien que tomó la iniciativa y marcó la diferencia en su familia, iglesia, lugar de trabajo o vecindario. ¿Cómo afectan todas estas historias a la forma en que ves tu propia responsabilidad de iniciativa personal con respecto a lograr tus objetivos?

_____

_____

_____

_____

_____

_____

_____

_____

_____

_____

_____

_____

_____

4. El motivo de obtener ganancias es un poderoso incentivo para tomar la iniciativa de avanzar hacia el logro de tus objetivos. ¿Cuál es tu definición de ganancia? ¿Están tus objetivos enfocados únicamente en las ganancias monetarias? Al considerar la siguiente cita, escribe cuál es tu mayor inspiración hoy: "Y la mayor inspiración para desarrollar desde dentro es lo que proporciona a las personas el motivo para crear, construir, acumular propiedades, proveer empleo y oportunidades a otros".

_____

_____

_____

_____

_____

_____

_____

_____

_____

_____

_____

_____

5. En la historia del hotel de E.H. Brett, ¿podrías iden-
tificarte con su propósito principal definitivo, su
actitud, su situación y los pasos que dio para alcanzar su objetivo? ¿O habrías buscado una forma
totalmente distinta de alcanzar o lograr el propósito
principal definitivo? ¿Tienes el valor necesario para
tomar la iniciativa necesaria para avanzar hacia tu
objetivo?

ALIANZA DE LA MENTE MAESTRA

"Todo lo que tu mente pueda concebir y creer,
tu mente puede lograrlo y lo logrará..."

El principio de la Alianza de la Mente Maestra hace posible que un individuo, a través de su asociación con otros, adquiera y utilice todo el conocimiento que necesite para la obtención de cualquier objetivo que desee lograr en la vida.

El principio de la Mente Maestra consiste en una alianza de dos o más mentes que trabajan en perfecta armonía para la obtención de un objetivo definitivo. Esa es la definición más breve que puedo dar de la Mente Maestra.

Nadie nunca ha obtenido el éxito sobresaliente en llamado alguno en las esferas superiores sin aplicar el principio de la Mente Maestra. Esto es porque ninguna mente es completa por sí sola. Todas las verdaderamente grandes mentes necesitan de otras mentes a fin de crecer y expandir. A veces este refuerzo o crecimiento ocurre accidentalmente. Las mentes más grandiosas, sin embargo, son el resultado del entendimiento y uso intencional de este gran principio de la Mente Maestra, que ¡bien puede ser una razón por qué hay tan pocas verdaderamente grandes mentes!

Existen varios principios fundamentales en conexión con este tema. Veamos cada uno en detalle.

PRIMER PRINCIPIO

El principio de la Mente Maestra te da los beneficios completos de la experiencia, capacitación, educación, conocimiento especializado e inteligencia natural de otras personas, tan completamente como si fueran tuyos.

Es maravilloso reconocer que puedes aprovechar total y completamente los cerebros de otras personas –de sus experiencias, trasfondos, influencia y conocimiento– tan completamente como si tú tuvieras todas esas cosas. Existe un método para aprovechar estos recursos beneficiosos y aplicarlos a lo que estás buscando lograr: crear una Alianza de la Mente Maestra. Puedes vencer casi todo obstáculo que está impidiendo la obtención de tu Meta Principal, independientemente de qué tan alto estés intentando alcanzar. Se ofrecen algunos ejemplos a continuación:

El geólogo

A través de la apropiación de los conocimientos especializados de un geólogo, puedes comprender la historia y la estructura de esta tierra en la que vivimos, sin necesidad de capacitarte en geología.

Puedes tomar total y completa ventaja de los cerebros de otras personas al crear una Alianza de la Mente Maestra.

El químico

A través de la experiencia y los conocimientos de un químico, puedes usar de forma práctica la química sin haberte capacitado como químico. Tengo un amigo que tiene un doctorado en química, y si necesito información incluso sobre el problema más complejo de la química orgánica, la tengo disponible consultando a este amigo.

Otros científicos

A través del conocimiento y la pericia de científicos, técnicos, físicos e ingenieros prácticos, puedes convertirte en un inventor de éxito, como lo hizo Thomas A. Edison, sin tener ningún conocimiento directo de ninguna de estas materias. El Sr. Edison solo tuvo tres meses de educación secundaria formal en toda su vida, y sin embargo, en su trabajo como inventor usó de un modo u otro prácticamente todas las ciencias naturales.

El conocimiento acumulado de la humanidad

En pocas palabras, puedes hacer uso completo de todos los conocimientos adquiridos por la humanidad y toda la educación, sin poseer ninguno de ellos, a través de una alianza amistosa con otros que tengan la información que necesitas específicamente. Hay muchos que tienen ideas que te gustaría llevar a cabo, pero no tienes el valor de hacerlo porque te sientes limitado en cuanto a alguna forma de conocimiento de la que careces. Olvídate de la idea de que no puedes llevar a cabo ninguna idea que tengas: a través del principio de la Mente Maestra, ¡puedes tomar todo el provecho de los conocimientos o la educación de otras personas!

Principios del éxito

A través de la aplicación del principio de la Mente Maestra puedes apropiarte de y usar toda la Filosofía de la Ciencia del Éxito sin gastar veinte años, como lo hice yo, buscando en las vidas de hombres exitosos los principios que emplearon. Hablando en sentido figurado, puedes volver a llamar a la vida a algunos de los hombres con más éxito que el mundo haya conocido y aprender de ellos los secretos de sus estupendos logros.

SEGUNDO PRINCIPIO

Una alianza *activa* de dos o más mentes en un espíritu de *perfecta armonía* para la obtención de un objetivo común estimula cada mente a un grado de valentía superior al que se experimenta ordinariamente, y prepara el camino para ese estado mental conocido como fe.

Para que no tengas ideas equivocadas sobre la fuente del poder en este tipo de alianza, las palabras clave son *activo* y *perfecta armonía*.

UNA ALIANZA ACTIVA DE DOS O MÁS MENTES EN UN ESPÍRITU DE PERFECTA ARMONÍA CREA FE.

Activo

Una vez formada una Alianza Mente Maestra, el grupo en su conjunto debe volverse y permanecer activo. El grupo debe actuar siguiendo un plan definitivo, en un momento definitivo, hacia un objetivo común definitivo. Todos los beneficios que obtiene el individuo de la Definitividad de Propósito se manifestarán a mayor escala en esta acción de grupo. La indecisión, la inactividad o el retraso destruirán la utilidad de la alianza.

Perfecta armonía

Tiene que haber armonía en la relación de las mentes en la alianza. Esta armonía no es distinta de la armonía en la música, que significa simplemente un arreglo agradable de tonos en consonancia, es decir, sin discordia. Debes mantener fuera de esta alianza cualquier pensamiento de discordia.

Debe tener lugar una completa unidad de mentes, sin reservas por parte de ningún miembro. Debe haber concordancia en los hechos, acuerdo en las opiniones y una absoluta comunidad de interés en el objetivo definitivo. Cada miembro de la alianza debe subordinar sus propias ambiciones personales a la realización y éxito del propósito definitivo de la alianza.

Como es natural, no lograrás tal armonía inmediatamente después de formar la asociación. Esta clase de armonía se cultiva y crece, basándose en cuatro elementos:

1. **Confianza**

2. **Comprensión**

3. **Equidad**

4. **Justicia**

Confianza es una dependencia o seguridad basada en la fidelidad. Fidelidad significa fidelidad al deber; cumplimiento leal de una obligación. Tu relación con otros bajo el principio de la Mente Maestra debe ser confidencial. El propósito de la alianza nunca debe discutirse fuera de las filas de los miembros, a menos que este propósito resulte ser la realización de algún servicio público. Como sabes, algunos, en su deseo de autoexpresión, revelarán secretos comerciales vitales de su negocio a cualquiera que los escuche. Ten precaución en cuanto a permitir que una persona así sea miembro de tu alianza de la Mente Maestra.

Comprensión significa un conocimiento completo de la naturaleza, el significado y las implicaciones de una situación o propuesta y tener una actitud tolerante o comprensiva hacia ella. Cada miembro de la alianza debe tener simpatía por el Propósito

GUÍA PARA LOGRAR TUS METAS

Definitivo, lo que significa simplemente que cada uno está de acuerdo en que es una buena idea y la apoyará de todo corazón.

Equidad significa ausencia de toda parcialidad, favoritismo o prejuicio; también significa ausencia de predisposición y egoísmo. Todos deben estar de acuerdo, en el momento de formar la alianza, cuál será la contribución de cada uno a la iniciativa y qué reparto se hará de los beneficios o ganancias que se deriven de su éxito. Llegar a un acuerdo de este tipo con antelación evita que la disensión y el antagonismo se cuelen en la asociación, lo cual puede destruirla por completo.

Justicia significa que los hombres justos se tratan entre sí en el sentido ético más elevado. Ningún miembro de la alianza busca una ventaja injusta a expensas de los otros miembros.

TERCER PRINCIPIO

Una Alianza de la Mente Maestra, correctamente dirigida, estimula a cada mente de la alianza a moverse con entusiasmo, iniciativa personal e imaginación, y acelera la capacidad de las mentes de la alianza para recibir y transmitir vibraciones de pensamiento.

Encontrarás que cuando tu mente entra en contacto con otras mentes en una reunión de la Mente Maestra, eres consciente de una forma de estimulación que equivale a una intoxicación mental, o euforia excesiva, y esta condición dura muchas horas después de que termine la reunión. Dos o más mentes que trabajan juntas en un espíritu de armonía tienen el efecto de intensificar el funcionamiento de las mentes individuales. Este aumento del funcionamiento de la mente te capacita para "sintonizar" en un plano de comunicación totalmente superior al que se experimenta ordinariamente, y te permite establecer un contacto excepcional con la Inteligencia Infinita, cuyo influjo es el poder de la fe.

CUARTO PRINCIPIO

Aquí vuelvo a insistir en la importancia de la armonía entre las mentes de los aliados en un grupo de la Mente Maestra. Sin el factor de la armonía, puede que la alianza no sea más que una cooperación ordinaria, o una coordinación amistosa de esfuerzos, que es algo muy diferente de la Mente Maestra. Sin duda, cualquier persona que se rodee del consejo, el asesoramiento y la cooperación personal de un grupo dispuesto a trabajar conjuntamente obtendrá ventajas económicas. Esta clase de asociación puede considerarse un componente económico del principio de la Mente Maestra y es responsable de muchos éxitos comerciales destacados en Norteamérica.

Cuando dos o más mentes coordinan su pensamiento en un espíritu de armonía y trabajan hacia un Objetivo Definitivo, se posicionan, a través de esa alianza, para absorber poder directamente del gran almacén universal de la Inteligencia Infinita. Ésta es la mayor de todas las fuentes de poder, la fuente a la que recurre todo gran líder, sea consciente de ello o no, y la mayoría de ellos lo han reconocido o admitido, tarde o temprano.

UNA ALIANZA DE LA MENTE MAESTRA ESTIMULA A CADA MENTE A ACTUAR CON ENTUSIAMO, INICIATIVA PERSONAL E IMAGINACIÓN, ACELERANDO EL PROGRESO.

Abro estas perspectivas de pensamiento a tu conciencia y sugiero, con humildad, la esperanza de que utilices este poder para el bien de otros. ¿Quién sabe? ¡Quizá en una Alianza de la Mente Maestra esté la respuesta al problema de la paz mundial y a todos los otros que acosan a la humanidad! ¡Nada menos que milagroso es el poder de la mente humana cuando se une a otras mentes en armonía y con un Propósito Principal Definitivo!

BENEFICIOS DE LA MENTE MAESTRA

Vino a verme una mujer que quería una breve sesión de Mente Maestra conmigo. Empezó a contarme todas sus dificultades. Era ciega y no pude evitar sentir lástima por ella, pues de lo contrario no le habría permitido que tomara mi tiempo con su crónica de problemas. Empezó haciéndome un resumen de su vida durante los últimos veinte años. Antes trabajaba en el cine y había invertido una cantidad considerable de dinero en un proyecto cinematográfico que quebró y ella perdió todo. Su marido

Dos o más mentes armoniosas que trabajan juntas pueden absorber el poder directamente de la Inteligencia Infinita, la fuente de todo gran líder.

empezó a beber, su madre falleció, ella tenía problemas con sus parientes. En veinte años no le había ocurrido ni una sola cosa constructiva o buena. Entonces me preguntó: –Dr. Hill, ¿por qué cree que se me echaron a perder los ojos?

Le dije: –Sra. Blanco, espero que comprenda que no quiero ser malo ni duro con usted, pero de alguna manera debo conseguir que se enfrente a los hechos. Francamente, creo que con su actitud extremadamente negativa, es un milagro que sea capaz de hacer cosa alguna. No me sorprende en absoluto que su marido beba. Es una maravilla que no se vaya de casa.

Entonces ella preguntó: –¿Qué puedo hacer para impedírselo?

Le contesté: –Usted no puede hacer nada hasta que haga algo para ayudarse a sí misma. Ha estado pensando en sus pérdidas excluyendo todo lo demás, y cuanto más se concentra en ellas, más atrae otras pérdidas. Deje de pensar en sus pérdidas, decídase a beneficiarse de su experiencia y adopte como Propósito Principal Definitivo en su vida la recuperación de la vista. Mantenga su mente ocupada con el hecho de que va a volver a ver. Concéntrese en la idea de que el nervio óptico va a ser restaurado de manera que usted volverá a ver. Pronto, su cambio de actitud hará que su marido recupere el interés por usted y probablemente dejará de beber, y sus familiares dejarán de maltratarla. Esto es todo lo que puedo decirle en este momento. Cuando consiga posicionarse en un estado mental positivo, venga a verme de nuevo y tal vez pueda ayudarla. Antes de que yo pueda hacer algo por usted, usted tiene que hacer algo por usted misma.

La razón por la que cuento esta historia es para decirte lo mismo a ti. Lo primero que hay que hacer es iniciar una Alianza de la Mental Maestra entre tú y esa otra personalidad, ese "otro yo" positivo que no reconoce la derrota: empieza a cultivar esa amistad contigo mismo. Ponte en buenos términos. Entonces, cuando hayas hecho un buen trabajo contigo mismo, te resultará mucho más fácil aplicar esta filosofía, y significará más para ti. Entonces atraerás a las personas que estarán dispuestas a cooperar contigo.

Hagas lo que hagas, hazte a la idea de que tienes derecho a la cooperación antes de pedir ayuda a alguien. Hazte a la idea de que está bien antes de pedírsela a cualquier persona. Espero que entiendas el espíritu en que digo esto: Puedo conseguir cualquier cosa en este mundo que realmente desee. Y tú eres mi socio. Quiero que sepas que has formado una alianza conmigo al convertirte en mi alumno. Si puedo conseguir cualquier cosa que desee para mí, también puedo conseguirla para ti, ¿no? Al menos puedo ayudarte para que lo consigas para ti.

Por ejemplo, cuando voy en busca de algo, evidentemente es importante obtener una respuesta afirmativa de la persona a la que me dirijo. Para asegurarme de que la obtendré, no siempre hago un ataque frontal, por así decirlo, y me dirijo directamente a él. Envío a un investigador para que averigüe de antemano cuál será la reacción probable. En la información que me aporta mi agente baso mi estrategia y mi enfoque. Sé cuáles van a ser las objeciones y preparo una buena respuesta antes de acercarme a él.

"DEJA DE PENSAR EN TUS PÉRDIDAS... PONTE EN UN ESTADO MENTAL POSITIVO".

Digamos que quiero pedir prestados 100.000 dólares, o quizá 1.000 en caso de que una cantidad tan grande te asuste. No entro en el banco y le digo al cajero: "Soy Napoleon Hill y necesito mil dólares". Más bien, cultivo la amistad con el funcionario pertinente del banco que tiene "la palabra" sobre los prestamos. Y entonces le vendo a esa persona una lista impresionante de las verdaderas posibilidades del proyecto que tengo en mente. Le explico una buena razón que tengo para querer el dinero. Con este enfoque estoy casi seguro de conseguir el dinero. He pedido dinero prestado de esta manera una y otra vez, ¡e incluso el banco me ha ofrecido prestarme más dinero del que pedía!

Todo esto se suma al hecho de que, sea lo que sea lo que vayas a pedir a los miembros de tu Alianza de la Mental Maestra que hagan por ti, primero debes condicionar tu propia mente para que crea en ello. Nunca, en ninguna circunstancia, intentes hacer funcionar una Mente Maestra mientras estés negativo. Sal de la presencia de tus aliados de la Mente Maestra y permanece fuera hasta que te hagas a ti mismo positivo.

Los estados de ánimo son contagiosos. Asegúrate de que lo que transmites a otros es positivo, no negativo, porque reaccionarán según el estado mental que les transmites.

Es de suma importancia condicionar tu mente de manera que, cuando hables a otra persona, no solo se oigan tus palabras, sino también el sentimiento que hay detrás de ellas. A veces, tu actitud mental transmitirá tu mensaje mejor de lo que lo harán tus palabras. A menudo no hay mejor forma de expresar algunas de las sutilezas de la conversación que mediante el espíritu que hay detrás de tus palabras.

Con esta constatación vino otro despertar; yo contaba con una abundancia de todas las doce grandes riquezas de la vida:

1. Una actitud mental positiva

2. Salud física sana

3. Armonía en las relaciones humanas

4. Libertad del temor

5. La esperanza de obtener logros

6. La capacidad de fe

7. La voluntad de compartir tus bendiciones

8. Una obra de amor

9. Una mente abierta a todos los temas

10. Autodisciplina

11. La capacidad de comprender a las personas

12. Seguridad financiera

A VECES TU ACTITUD MENTAL PRESENTARÁ TU MENSAJE MEJOR QUE TUS PALABRAS.

Las enumero para que puedas marcar las que tengas. Como puedes ver, he tocado casi todas ellas a medida que hemos ido avanzando.

Cuando aprendas a controlar tu actitud mental, atraerás las cosas que deseas. No tendrás que recurrir a subterfugios ni engaños; encontrarás a otras personas dispuestas a cooperar contigo y a ayudarte. Puede que esta afirmación te resulte difícil de creer, pero nunca sabrás realmente si es cierta o no hasta que empieces a llevar a cabo las instrucciones que te he dado.

Toma un firme control de tu propia mente y luego, siempre que plantes en ella un Propósito Principal Definitivo o un Propósito Menor, empezará a funcionar inmediatamente, creando planes y guiándote hacia el cumplimiento de tu propósito.

LA ALIANZA PERSONAL MÁS IMPORTANTE

El matrimonio es de una importancia tan vital que me siento obligado a esbozar algunas ideas que pueden serte útiles para establecer una relación matrimonial correcta.

Permíteme que me dirija primero al joven que aún no se ha casado, ya que normalmente es el hombre quien propone (o cree que lo hace). Debes entablar una serie de conversaciones muy francas con tu futura pareja, en las que se traten los fundamentos del matrimonio. Explícale cómo piensas ganarte la vida y asegúrate de que aprueba la ocupación o profesión que has elegido y tus métodos para ejercerla.

Una vez que haya terminado la luna de miel, se enfrentarán a la realidad, a veces sombría, del lado práctico del matrimonio. Por tanto, lo sensato es considerar estas realidades de antemano.

Ahora bien, ¿qué del hombre que ya está casado? Esto puede tomar algún tiempo tanto para él como para su esposa. Puede tomar bastante tiempo corregir los malos hábitos que puedan haberse introducido. Deben reservar un tiempo específico cada día, o al menos cada semana, para una "conferencia" de la Mente Maestra entre los miembros de la familia. Esto puede ser algo así como una reunión del Consejo de Administración, en la que pueden hablar de todos los asuntos importantes y llegar a algunas conclusiones.

Si la erosión destructiva de la falta de interés existe en cualquiera de las partes, será cuestión de una cuidadosa reeducación y reajuste, suponiendo que siga viva una comunidad de interés suficiente sobre la cual edificar.

Sí, la mayor Alianza de la Mente Maestra del hombre es la que tiene con la mujer a la que ama, y por eso es tan esencial alimentar ese amor manteniendo viva esa chispa de romance.

La emoción del romance elimina la monotonía del trabajo; ahuyenta el desánimo y lo sustituye por la Definitividad de Propósito. Transforma la pobreza en un poderoso estímulo y en una fuerza irresistible para lograr algo. Es la esencia misma del entusiasmo y enciende la imaginación y la fuerza a la acción creativa.

Dos ejemplos de un matrimonio Alianza de Mente Maestra son los del Sr. Thomas Edison y su esposa y el Sr. Henry Ford y su esposa.

Thomas Edison tuvo la buena fortuna de contar con una esposa que comprendía sus problemas con simpatía. Siempre lo apoyó al cien por cien en todo lo que emprendía. Independientemente de lo tarde que llegara a casa de su laboratorio, esta comprensiva mujer estaba despierta y preparada con un alegre saludo, una ansiosa expectación por el relato de las actividades del día y, si lo necesitaba, palabras de aliento. La confianza y la fe de la Sra. Edison en la capacidad de su marido, así como su amor constante, lo animaron en muchos momentos difíciles y lo inspiraron a seguir adelante contra lo que a veces resultaba casi imposible.

La Alianza de la Mente Maestra más destacada que he tenido el privilegio de observar existió entre el Sr. Henry Ford y su esposa. Tuvo su comienzo en la cocina de su humilde hogar, en los días en que Henry experimentaba con su primer motor de combustión interna. Fue entonces cuando descubrió el importante papel que desempeñan el amor y la devoción de una

EL APRECIO MUTUO
Y LA ARMONÍA
LOS UNÍAN.

esposa en los planes de su marido, y el interés y la cooperación sinceros de ella para sostenerle a través del difícil periodo de inventar y perfeccionar un dispositivo mecánico para realizar su propósito en la vida.

El aprecio mutuo y la armonía que los unía en los meses de paciente esfuerzo necesarios para hacer funcionar aquel motor iban a durar toda la vida. Aunque el mundo oyó hablar poco de la Sra. Ford, que prefería pasar desapercibida, los que la conocen se dan cuenta de que fue en gran parte responsable de los logros de su famoso marido. A ella acudía él en todas sus crisis, en busca de la sonrisa alentadora, el aprecio y la admiración, la esperanza siempre fresca de lograr algo, la caricia reconfortante y el consejo comprensivo y paciente que lo ayudaban.

En estos dos ejemplos te he dado algunas pistas muy importantes. Quizá la mejor alianza que un hombre puede hacer es con su propia esposa. Si tienes una completa unidad de propósito con la mujer con la que te casas, no existe nada que no podrás lograr. Si careces de esta armonía en tu hogar, será mejor que te enfrentes al hecho de que tienes algunos factores en tu contra. Y, por supuesto, esto funciona en ambos sentidos. Las esposas deben tener la armonía y la cooperación de los maridos para aligerar la carga de su trabajo en la vida. Debe ser una relación recíproca y bidireccional. Este importante concepto también se describe en el libro *Mente Maestra –Las memorias de Napoleon Hill.*

LA ALIANZA DE LA MENTE MAESTRA MÁS IMPORTANTE DEL MUNDO

La Alianza de la Mente Maestra más importante de todo el mundo es la alianza entre los Estados de nuestra gran Nación. De esta alianza procede la libertad de la cual nos sentimos tan justamente orgullosos. La fuerza de la alianza reside en el hecho de que es voluntaria y que, en un espíritu de armonía, está respaldada por la gente.

La alianza entre los estados ha creado una variedad de oportunidades para el ejercicio de la iniciativa individual mayor que la que existe en ningún otro lugar del mundo. Además, ha creado el poder necesario para defender a su pueblo y el sistema en el que funciona contra todos los que puedan envidiarnos o deseen interferir en nuestros privilegios.

La razón por la cual nuestra nación es grande es el poder y la visión de las fuerzas combinadas de las mentes de muchas personas quienes, trabajando en armonía bajo nuestra forma de gobierno, permiten a la industria y a la banca y a la agricultura y a la empresa privada, en todos los ámbitos de la vida, levantar un sólido frente.

Nuestra forma de gobierno es un excelente ejemplo del principio de la Mente Maestra, ya que combina el armonioso esfuerzo cooperativo de las unidades de gobierno estatal y federal. Bajo esta alianza amistosa hemos crecido y prosperado como no lo ha hecho ninguna otra nación conocida por la civilización.

La Alianza de la Mente Maestra que dio a esta nación su nacimiento de libertad consistió en una mente compuesta que surgió de la armoniosa alianza de los cincuenta y seis firmantes de la Declaración de Independencia. Detrás de esa Mente Maestra estaba la Definitividad de Propósito que conocemos como el "espíritu norteamericano de autodeterminación", el cual una parte ha servido como poder motivador en el desarrollo de nuestra gran industria americana. Ninguna mente a solas, independientemente de su grandeza, podría haber dado a esta nación la visión, la iniciativa y la confianza en sí misma en las que se han inspirado sus líderes en todos los ámbitos de la vida.

INSTRUCCIONES PARA FORMAR Y MANTENER UNA ALIANZA DE LA MENTE MAESTRA

PRIMERO

El primer paso es *adoptar un Propósito Definitivo* como objetivo a lograr por la alianza, eligiendo a miembros individuales cuya formación, experiencia e influencia sean tales que les confieran el mayor valor para la obtención de dicho propósito.

No sirve de nada formar una Alianza de la Mente Maestra solo para tener a alguien con quien charlar. Fracasará pronto si no tiene un motivo sólido y depende de ti plantar ese motivo en las mentes de los miembros del grupo.

Tus aliados para este grupo deben elegirse por su capacidad para ayudarte a llegar a donde quieres llegar. No elijas a las personas simplemente porque las conoces y te caen bien. He descubierto por medio de experiencia costosa que el mero hecho de que una persona te agrade no es razón alguna para tenerla como miembro de tu Alianza de la Mente Maestra.

Debes hacer un análisis cuidadoso de tu propósito y enumerar los elementos que necesitarás para su obtención y, a continuación, proporcionar sistemáticamente los eslabones con los cuales forjar la cadena. Cada uno de los miembros de la alianza debe aportar una contribución definida, distintiva y singular al conjunto.

Al seleccionar a los aliados de este grupo, puede que al principio sea necesario tener un poco de "sangre fría". No es tarea fácil seleccionar a los miembros correctos. Puede que tengas que elegir y eliminar hasta dar con los correctos. Esto cuesta mucho tiempo y dinero. Debes guiarte en tus elecciones por las cosas que necesitas y que aún no tienes. Si lo que necesitas es dinero, para financiar un negocio, debes encontrar a una persona que tenga dinero para invertir.

Independientemente de las personas agradables que conozcas a las que les gustaría trabajar contigo, si no tienen dinero no

*Elige a tus aliados
por su capacidad
para ayudarte
a llegar a donde
quieres llegar.*

pueden hacer realmente la contribución particular a la alianza que necesitas. No: debes encontrar a una persona con dinero y cultivar su voluntad de cooperar, mostrándole la oportunidad de obtener beneficios de la inversión.

Por supuesto, no tomes a la primera persona que cumpla el requisito principal, a menos que también posea los otros atributos necesarios. Los requisitos para ser miembro de una Alianza de Mentes Maestras son muy exigentes. Al considerar a cada candidato como miembro, ten en cuenta su capacidad, su personalidad y su disposición a cooperar contigo. Nunca insistiré lo suficiente en la necesidad de armonía si queremos que la organización tenga éxito.

Segundo

Determina qué beneficio apropiado puede recibir cada miembro a cambio de su cooperación en la alianza. En este punto, repasa los nueve motivos básicos –*amor, sexo, riquezas materiales, autopreservación, libertad de cuerpo y mente, expresión y reconocimiento personal, perpetuación de la vida después de la muerte, venganza, temor*– que yo denomino el alfabeto del éxito. Basa tus solicitudes de cooperación en uno o varios de estos motivos. Puedo decirte de antemano qué motivo tendrá el mayor atractivo y apuesto a que tú mismo puedes adivinarlo.

¡Tienes razón! Es el deseo de riquezas materiales, o de ganancias. Si obtienes ganancias, debes estar dispuesto a dividirlas

LA MENTE MAESTRA PRODUCE IDEAS QUE NO LLEGARÍAN A TU MENTE POR SÍ SOLAS.

entre quienes te ayudan. Sé no solo justo, sino generoso con ellos, y cuanto más generoso seas con ellos, más ayuda obtendrás de ellos. Recuerda el principio de Hacer más de lo esperado. ¡Qué pena que no todos los empresarios sepan acerca de esto! Uno de mis propósitos en la vida es que lo aprendan.

Tercero

Establece un lugar definido donde se reunirán los miembros de la alianza, una vez que se haya adoptado un plan definitivo, y concuerden en una hora definida para la discusión mutua del plan. Recordarás la importancia de un plan en relación con tu Propósito Principal Definitivo. Pues bien, este es el momento y el lugar para revelar ese plan a aquellos que son tus asociados armoniosos que tendrán una comunidad de interés en el éxito de la iniciativa. Puede que pienses que tu plan es muy bueno, pero antes de que acabes de compartirlo con tus aliados es muy posible que lo modifiques hasta que des con el plan perfecto.

Cuando hayas establecido una buena relación entre tu mente y las mentes de otros miembros de tu Alianza Mental Maestra, descubrirás que las ideas fluirán hacia las mentes de cada uno de los miembros y, del mismo modo, hacia tu propia mente. Cuando la Mente Maestra está en funcionamiento, produce ideas que no vendrían a tu mente por sí sola. He tenido esa experiencia muchas veces al asistir a los numerosos grupos de los que formo parte como consultor.

El lugar elegido, llámalo "Mesa Redonda", es donde se reúnen todos y donde cada miembro puede hablar con confianza. Todos ven lo que hay sobre la mesa. En un grupo así no hay secretos, que es un resultado del cuidado con el cual seleccionaste a los miembros. Es importante que se establezcan contactos frecuentes y regulares entre los miembros. La falta de definición en este punto, o la negligencia, acarrearán la derrota. Debes mantener un contacto casi continuo con las otras mentes del grupo si quieres sacarles todo el provecho. Las reuniones deben programarse con frecuencia, y deben intercambiarse los números de teléfono, de manera que sea posible discutir con el grupo en pocos minutos cualquier acontecimiento repentino.

Cuarto

Es responsabilidad del líder de la alianza velar por que se mantenga la armonía entre todos los miembros y para que la acción sea continua en la persecución del Propósito Principal Definitivo. Acción o trabajo es el nexo de unión entre el deseo, el plan y el cumplimiento.

Quinto

Las consignas de la alianza deben ser la *Definitividad de Propó-sito, la positividad del plan*, respaldadas por *una armonía perfecta y continua*. La mayor fuerza de una alianza de este tipo consiste en la mezcla perfecta de las mentes de todos sus miembros. Los celos, la envidia o las fricciones, así como cualquier falta de inte-rés por parte de cualquier miembro, acarrearán derrota, a menos que La persona sea eliminada de inmediato.

Sexto

El número de individuos de una alianza debe regirse entera-mente por *la naturaleza y la magnitud del propósito a obtener*. Si persigues un propósito comparable al del Sr. Edison, necesitarás un gran número de personas con talento y capacitación espe-ciales. Una empresa de menor envergadura requerirá un grupo proporcionalmente más reducido. En general, es mejor tener el menor número posible de miembros, porque será mucho más fácil mantener la armonía entre ellos.

RELACIÓN ENTRE LOS PRINCIPIOS DE LA MENTE MAESTRA Y OTROS PRINCIPIOS

Ahora veamos cómo el principio de la Mente Maestra se entre-laza con otros principios.

El éxito requiere una estricta autodisciplina.

Primero

El número uno es la *Definitividad de Propósito*. Ése es el principio de todo logro, y es lo primero de lo que tienes que ocuparte al crear y mantener una Alianza Mental Maestra para cualquier propósito.

Segundo

Debes tener *Iniciativa Personal*. En otras palabras, tienes que tomar la iniciativa. No puedes esperar a que venga otro y te ayude. Al desarrollar esta filosofía tuve que averiguar quién tenía los conocimientos, y luego tuve que buscar a esa persona y conseguirlos. Tuve que tomar la iniciativa, lo cual a veces significaba viajar por todo el país para obtener la colaboración de alguien.

Tercero

Fe Aplicada. No puede haber una Mente Maestra en el verdadero sentido de la palabra sin fe aplicada.

Cuarto

El cuarto principio es *hacer más de lo esperado*. Te sorprenderá, cuando sigas el hábito de hace más de lo esperado, lo fácil que te resulta conseguir la cooperación de otros. El estado de ánimo necesario para seguir ese hábito es captado por otros y causa que quieran ayudarte.

Quinto

Autodisciplina. No tendrás una verdadera Alianza de la Mente Maestra si no te disciplinas a ti mismo. No intentes disciplinar a otros, disciplínate a ti mismo. Una de las cosas más difíciles al principio será disciplinar tu mente para que se concentre en tu Propósito Principal Definitivo y excluya todas las demás ideas seductoras que te vendrán a la mente por el camino.

Puedes estar seguro de que no puedes tener éxito en la vida dispersando tus fuerzas e intentando hacer una docena de cosas a la vez. Tienes que concentrarte en una cosa cada vez. Evita las tentaciones de las ideas atractivas que aparecen para distraer tu atención: el éxito exige una autodisciplina estricta.

Es mi sincero deseo hacerte saber que en esta filosofía tenemos real y verdaderamente una fuente de inspiración y la fórmula para generar poder personal, que puedes usar para lograr el éxito más allá de tus sueños más anhelados. Quiero que lo aceptes, y no solo eso: ¡úsalo!

PREGUNTAS PARA CONSIDERAR...

1. Al pensar en tu Propósito Principal Definitivo y en los recursos que necesitas para hacerlo realidad, ¿quién te viene a la mente cuando consideras formar una Alianza de la Mente Maestra? ¿Qué atributos, conocimientos, habilidades, etc. tiene cada una de estas personas? Enumera los nombres y sus ventajas.

2. ¿Tienen las personas que has enumerado las cualidades de carácter necesarias para ser activas y estar
en armonía entre sí, incluyendo: ¿Confianza, Comprensión, Equidad, Justicia?

_____

_____

_____

_____

_____

_____

_____

_____

_____

_____

_____

_____

_____

_____

_____

_____

3. De las doce "grandes riquezas de la vida" y como líder de tu Alianza de la Mente Maestra, ¿cuántas marcaste, indicando que tienes las cualidades necesarias? Si no marcaste las doce, ¿qué medidas tomarás para garantizar el éxito de la Alianza?

4. Las Instrucciones para Formar y Mantener una Alianza de la Mente Maestra explican detalladamente los seis pasos que hay que tomar. ¿Las instrucciones son claras y factibles? ¿Hay alguna que eliminarías o ampliarías? ¿Hasta qué punto es probable que completes cada paso?

5. El principio de la Mente Maestra se entrelaza con otros principios, incluyendo la Definitividad de Propósito, la Iniciativa Personal, la Fe Aplicada, Hacer más de lo esperado y la Autodisciplina. ¿Cuál de estos otros principios es el más fácil de aplicar en tu plan? ¿Cuál es el más difícil? Explica.

A veces tu mayor rendimiento puede no ser en dólares, sino en mayores oportunidades de salir adelante.

HACER MÁS DE LO ESPERADO

Si tuviera que elegir solo uno de los diecisiete principios del éxito, y basar mis posibilidades únicamente en ese principio, elegiría sin dudarlo *Hacer más de lo esperado*, porque es el que me permite hacerme indispensable para otros. Te sugiero que busques la palabra indispensable en el diccionario y la anotes en tu conciencia, porque si vas a llegar a ocupar mucho espacio en el mundo, tendrás que hacerte indispensable para muchísimas personas. Si prestas más y mejor servicio del que accedes prestar, muy pronto te harás indispensable y te pagarán de buena gana por más de lo que haces.

BENEFICIOS DE HACER MÁS DE LO QUE TE PAGAN POR HACER

A continuación se enumeran catorce beneficios de Hacer más de lo esperado:

Uno

Hacer más de lo esperado pone la ley de los rendimientos crecientes al servicio de tus actividades. Esto significa que la calidad y la cantidad del servicio que prestes volverán a ti muy multiplicadas. Recuerda la historia del agricultor y el grano de trigo que planta como semilla. La Madre Naturaleza le recompensa el ciento por uno a cambio de su trabajo e inteligencia. Lo mismo ocurre con todo lo que haces para prestar un servicio. Si prestas un servicio por valor de cien dólares, lo más probable es que eventualmente recibas no solo esos cien dólares, sino diez veces esa cantidad, si prestas el servicio con la actitud mental correcta.

A veces, puede que tu mayor rendimiento no se traduzca en dólares, sino en mayores oportunidades de salir adelante: reconocimiento en el trabajo, o hacer un nuevo amigo o un grupo de amigos. Puede llegarte en una gran variedad de formas, pero siempre en la proporción aumentada.

Existe una ley inversa a esta ley de Hacer más de lo esperado, como ya habrás sospechado. Si dejas de hacer un esfuerzo adicional o ni siquiera haces el primer esfuerzo —si prestas tu servicio con una actitud negativa solo para obtener una compensación inmediata—, lo más probable es que entre en juego la ley de los rendimientos decrecientes y recibas mucho menos de lo que valía tu esfuerzo a regañadientes, ¡o posiblemente nada en absoluto!

No me preguntes quién creó esta ley de rendimientos crecientes, porque no lo sé. Sin embargo, sí sé que funciona, y espero enseñarte algo acerca de cómo puedes ponerla a trabajar para ti. Como ejemplo de cómo la ley de los rendimientos crecientes multiplica la recompensa que obtienes por un servicio alegre y abundante, permíteme compartir los momentos más destacados de la vida de Charlie Schwab.

Charles M. Schwab empezó su carrera como jornalero en una acería propiedad de Andrew Carnegie.

Cuando empezó a trabajar, no mostró ninguna habilidad especial de ningún tipo, salvo que tenía una actitud mental positiva y una personalidad agradable, lo que le granjeó amigos entre todas las clases de gente. También estaba dispuesto a hacer más que por lo que se le pagaba. De hecho, se desvivía por encontrar trabajo extra que hacer. No se limitaba a solo hacer un poco más, sino que añadía más y más cosas extra, y cada una de ellas con una sonrisa en la cara y una actitud sana.

Pues bien, Charlie Schwab fue ascendiendo en las fábricas Carnegie hasta que le pagaron el atractivo salario de setenta y cinco mil dólares al año por el trabajo que hacía. Esta era su remuneración por el servicio real que debía prestar. Pero por el servicio extra que prestaba, más allá del llamado del deber, el Sr. Carnegie a menudo le pagaba una bonificación de ¡hasta un millón de dólares al año! ¡Hablando de la ley del rendimiento creciente! En realidad le pagaban más de diez veces más por este servicio extra que por hacer su trabajo normal.

Creo que de esta historia puedes extraer una valiosa lección. El servicio que prestas sin remuneración, y sin ninguna expectativa

INCLUSO EL INTERCAMBIO DE PALABRAS AMABLES PUEDE TENER EFECTOS DE GRAN ALCANCE Y GENERAR MAYORES BENEFICIOS.

de compensación directa en dinero, a menudo resulta ser el servicio más rentable que puedes prestar.

Otra historia revela que, a veces, el mero intercambio de palabras amables entre desconocidos, cuando en realidad no existe ninguna obligación, puede tener efectos de gran alcance y generar mayores beneficios.

Una tarde lluviosa, entró por la puerta giratoria de un gran almacén de Pittsburgh una dama anciana. Mientras recorría el pasillo, varios dependientes le dieron la espalda y fingieron estar ocupados con sus existencias, pensando que era una mera "mirona". Pero un joven dependiente le habló amablemente y se ofreció a ayudarla. La dama explicó: "Oh, solo estoy esperando a que deje de llover".

Muy bien –dijo el joven–, ¿puedo traerle una silla?

Tomó una silla de detrás del mostrador y se la ofreció a la dama. Cuando la lluvia se calmó, tomó a la dama del brazo y la acompañó al exterior. Al despedirse, ella le pidió su tarjeta.

Unos meses más tarde, el dueño de la tienda recibió una carta en la que le pedían que enviara a este joven a Escocia para tomar pedidos para amueblar un castillo. El dueño contestó que aquel joven no trabajaba en el departamento de mobiliario doméstico, pero que con mucho gusto enviarían a un experto. La ancianita volvió a escribir e insistió en que enviaran al joven que había sido tan cortés con ella.

Por supuesto, le permitieron ir y recibió pedidos por valor de varios cientos de miles de dólares en mercancías. La anciana dama era la madre de Andrew Carnegie, y estaba amueblando el castillo de Skibo, en Escocia.

A raíz de este incidente, el joven fue hecho socio de una gran tienda de Pittsburgh, con un futuro asegurado en un negocio rentable. La parte importante de la historia es que no le pagaron por desviarse de su camino para ser cortés con las ancianas. Nadie le dijo que lo hiciera. Lo hizo por iniciativa propia. Sin embargo, los diez minutos que dedicó voluntariamente a este servicio fueron la causa de que obtuviera una participación en un gran negocio.

Bien se puede decir que esos diez minutos de servicio gratuito le pagaron más que todos los servicios remunerados que había prestado antes en toda su vida. Y le hizo económicamente independiente para el resto de su vida. Ya ves una vez más cómo funciona la ley del rendimiento creciente para los que hacen más de lo esperado.

Dos

El hábito de hacer más de lo que se te paga hacer causa que te beneficies de la ley de la compensación, a través de la cual

LA LEY DEL RENDIMIENTO CRECIENTE FUNCIONA PARA LOS QUE HACEN MÁS DE LO ESPERADO.

ningún acto o hecho será o podrá ser expresado sin una reacción equivalente, según su propia clase.

Para obtener resultados apropiados, la aplicación de esta regla debe ser un hábito, aplicado en todo momento, de todas las formas posibles. Debes prestar la mayor cantidad de servicio de la que seas capaz, y prestarlo de manera amistosa y positiva. Y debes hacerlo independientemente de tu remuneración inmediata, ¡incluso aunque parezca que no recibes ninguna remuneración inmediata!

La Madre Naturaleza no te permitirá, ni a ti ni a otros seres vivos, tener algo a cambio de nada, pero es igual de estricta de ver que no des algo (en forma de servicio) a cambio de nada, es decir, sin una compensación adecuada.

Debemos prestar tanto servicio como se nos pague para mantener el empleo o una fuente de ingresos, sea cual sea. Esta ecuación está "equilibrada", ya que el empresario paga por el valor recibido. El trabajador debe aportar ese valor. La misma relación existe en el caso de profesionales como médicos, abogados y músicos; cada uno de ellos debe prestar un servicio antes

HACER MÁS DE LO QUE SE PAGA ESTÁ EN ARMONÍA CON LA NATURALEZA.

de recibir el pago del cliente. En el comercio, el comprador paga por una cantidad determinada de una mercancía, y el comerciante debe entregar precisamente esa cantidad de sustancia por el dinero.

Las personas perezosas y deshonestas intentan siempre y para siempre desequilibrar esta ecuación a su favor, intentando que les paguen la misma cantidad de dinero por un producto inferior o por un servicio menor; en otras palabras, desafiar la ley de la Naturaleza y conseguir algo a cambio de nada.

En la venta de servicios personales, algunas personas se esfuerzan a veces por reducir las horas y la calidad del servicio y aumentar la remuneración. Esta práctica no puede llevarse a cabo más allá de cierto punto, porque cuando alguien cobra más por su trabajo que el valor que pone en él, finalmente acaba matando a la "gallina de los huevos de oro". Tal política es exactamente opuesta al principio de hacer más de lo que se paga, que está en armonía con la Naturaleza.

Hay dos formas definitivas en las que tienes la iniciativa de fijar el salario que exiges a la vida:

1. Adopta el principio de hacer más de lo que te pagan para hacer.

2. Ten un Propósito Principal Definitivo dirigido a lograr algo por encima del nivel de mediocridad.

El principio de Hacer más de lo esperado beneficia tanto al empresario que lo aplica como al trabajador. Sería tan insensato que un empresario retuviera a un trabajador una parte del salario justamente ganado como que un trabajador hiciera menos de lo que le pagan por hacer. Por lo tanto, es tan sensato por parte del empresario pagar a las personas todo lo que ganan como lo es que un empleado intente ganar más de lo que recibe. Si un empleado presta solo el servicio por el que se le paga, entonces esa persona no tiene ninguna razón lógica para esperar o exigir más que el valor justo de ese servicio.

Ahora bien, aquí está el punto delicado que la mayoría de las personas pasan por alto. Hasta que un empleado no empiece a prestar más servicios de los que se le pagan, no tiene derecho a cobrar más de lo que recibe por esos servicios. ¡Es obvio que el empleado ya está recibiendo el salario íntegro por el trabajo realizado! Te sugiero que reflexiones sobre esta afirmación y te asegures de comprender bien su significado. Créeme, es la piedra de tropiezo de casi todos. Es la clave de esta estrategia maestra de hacer más de lo que actualmente te pagan por hacer.

Ahora al segundo punto. La persona promedio que trabaja a cambio de un salario siente que hace más trabajo del que le

LOS PRÓSPEROS Y EXITOSOS TIENEN UN PLAN DEFINITIVO, LLEVAN A CABO ESE PLAN, Y PRESTAN SERVICIOS EQUIVALENTES EN VALOR A LAS RIQUEZAS QUE DEMANDAN.

pagan. Si esto es cierto, ¿por qué la ley de compensación no paga mejor?

La triste realidad es que noventa y ocho de cada cien asalariados no tienen un propósito definitivo mayor que el de trabajar por un salario diario. Por lo tanto, independientemente de la cantidad de trabajo que realicen, o de lo bien que lo hagan, la "rueda de la fortuna" gira a su lado sin darles más que un mero sustento, ¡porque ni esperan ni exigen más!

La persona próspera y exitosa exige riquezas en términos definidos; tiene un plan definitivo para adquirir riquezas; se dedica a llevar a cabo ese plan; y presta un servicio útil equivalente en valor a las riquezas que exige. La vida y la ley de compensación son justas en ambos casos. La vida retribuye a la persona rica en sus propios términos, y la vida retribuye también a la persona que no pide más que un salario diario.

Como ves, amigo mío, la rueda de la fortuna reacciona ante el plan mental que una persona establece en su propia mente, y le trae, en formas físicas o financieras, el equivalente exacto de ese plan.

Existe una ley de compensación mediante la cual alguien puede establecer su propia relación con la vida, incluyendo las posesiones materiales acumuladas. No puedes esperar escapar a la aceptación de la realidad de esta ley, ¡pues no es una ley hecha por el hombre!

Si captas el significado de lo que he dicho sobre este tema, puedes marcar este día como un punto de inflexión en tu vida, ¡porque a partir de hoy te encargarás de no conformarte con la vida si no es en tus propios términos!

Tres

El hábito de hacer más de aquello por lo que te pagan te atraerá la atención favorable de quienes tienen oportunidades que ofrecerte. Nunca he sabido de nadie que haya ascendido a un puesto mejor pagado y de mayor responsabilidad sin adoptar y seguir este hábito.

Otra historia sencilla que ilustra este punto es la siguiente: Una mañana de invierno, el automóvil privado del Sr. Charles Schwab entró en una vía lateral cerca de la acería que dirigía. Justo fuera del automóvil, el Sr. Schwab fue recibido por un joven llamado Williams, que le explicó que era taquígrafo en la oficina de la empresa del acero y que se había encontrado con el automóvil con la esperanza de que pudiera ser de alguna utilidad para el Sr. Schwab.

El Sr. Schwab quedó tan sorprendido por este hecho inusual que le preguntó al joven quién le había enviado allí. El joven respondió: "Fue idea mía, señor. Leí por casualidad el telegrama que decía que usted iba a venir y bajé por si tenía algún telegrama o carta importante que despachar a toda prisa".

Charlie Schwab le dio las gracias al joven por su consideración y le dijo que quizá necesitaría sus servicios más tarde ese mismo día. Y así fue. Aquella noche, cuando el automóvil privado se dirigía a Nueva York, el joven Williams iba en él, con destino al despacho privado del Sr. Schwab, a petición especial del magnate del acero.

Siguió prestando servicios extraordinarios, y el Sr. Williams ascendió de un puesto a otro en la empresa de acero hasta que dispuso del capital necesario para emprender negocios por su cuenta. Llegó a ser presidente de una gran empresa farmacéutica.

El Sr. Schwab, al contar la historia de su secretario privado, dijo que Williams no tenía una sola cualidad que lo situara por encima del promedio como taquígrafo, pero sí tenía la cualidad de desarrollar, por iniciativa propia, el provechoso hábito de Hacer más de lo esperado. Este hábito le permitió promocionarse. Este hábito atrajo la atención del Sr. Schwab. Este hábito lo convirtió en presidente de su propia empresa y ¡en su propio jefe! Charles Schwab había ascendido de jornalero en una de las fábricas Carnegie a presidente de la United States Steel Corporation gracias al mismo hábito.

Desarrolla el hábito provechoso de Hacer más de lo esperado.

CUANDO CREES QUE SUPERARÁS TODOS TUS LOGROS ANTERIORES, ¡LO MÁS PROBABLE ES QUE LO LOGRARÁS!

Cuatro

El hábito de Hacer más de lo esperado tiende a permitirte convertirte en *indispensable*, en muchas relaciones humanas diferentes, y por lo tanto te permite obtener una compensación por tus servicios superior al promedio. Aunque es literalmente cierto que puede que no exista una persona indispensable, casi "indispensable" es alguien o algo sin el cual no puedes seguir adelante. Es en este sentido en el que uso la palabra.

Nunca lograrás una remuneración superior al promedio hasta que te conviertas en indispensable para alguien o para algún grupo. Hazte tan útil que sea extremadamente difícil, si no absolutamente imposible, sustituirte. Existen algunas ocupaciones en las que la iniciativa personal y otras cualificaciones hacen que una persona sea casi indispensable. Las personas que se han destacado así de la multitud, y han incluido ese ingrediente inestimable en su servicio, prácticamente escriben su propia etiqueta de precio que otros pagan de buen grado.

Cinco

Este hábito conduce a tu crecimiento mental y a tu perfección física en diversas formas de servicio, desarrollando así una mayor capacidad y destreza en la vocación que hayas elegido. Es un hecho bien conocido que tanto el cuerpo como la mente obtienen eficacia y destreza a través de la autodisciplina sistemática, que este hábito te hace observar.

Cada vez que realizas un acto con la actitud de que vas a superar todos tus logros anteriores, estás creciendo de verdad. Nunca me pongo delante de un alumnado para pronunciar una conferencia ni me siento a escribir una lección sin la intención deliberada de hacerlo mejor que antes. Es cierto que a veces puedo quedar por debajo de la marca que me había fijado anteriormente, debido a circunstancias que varían con cada situación, pero es un estado de mente saludable, no obstante, tener la intención de mejorar tu propio récord cada vez que das un paso.

Soñar despierto en el trabajo, matar el tiempo en el baño, mantener la actitud mental de "no me pagan lo suficiente; ese no es mi trabajo" no son más que formas de vencerte a ti mismo. Esa actitud no da buenos resultados.

Seis

El hábito de Hacer más de lo esperado te protege contra la pérdida del empleo y te posiciona para elegir tu propio empleo y

> # LA PERSONA QUE PRESTA UN SERVICIO SUPERIOR EN CALIDAD Y CANTIDAD A AQUELLO POR LO QUE SE LE PAGA DESTACA EN MARCADO CONTRASTE CON TODOS LOS DEMÁS.

condiciones de trabajo, además de atraer oportunidades de autopromoción. El empleo continuo es algo de primordial importancia para el asalariado diario. Hacer más de lo esperado es una forma de suscribirte una póliza de seguro contra el temor a la pobreza, el temor a la necesidad y contra la competencia de los bajos salarios del "vigilante del reloj". Recuerda: "Si miras siempre el reloj, seguirás siendo una de las manecillas"."

Siete

Hacer más de lo esperado te convierte en el centro de atención y te permite beneficiarte de la ley del contraste, que es muy importante para promocionarte.

Marshall Field's de Chicago tenía un escaparatista que cobraba un sueldo de veinticinco mil dólares al año. Era un gran artista. Sabía cómo aprovechar la ley del contraste. Recuerdo perfectamente que un día pasé por delante de la tienda y noté que había un escaparate lleno de corbatas bonitas. Justo en medio del escaparate había un gran espejo alto en los cuales podía verme. No necesito decirte que cuando observé mi corbata dije: "Esta corbata mía tiene un aspecto horrible; voy a entrar a comprar una de esas nuevas tan bonitas". Me convenció la ley del contraste. El contraste entre el aspecto de mi corbata y el de las del escaparate era tan grande que entré y compré media docena de corbatas.

Los humanos hacemos comparaciones inconscientemente y siempre notamos esa cosa que es "diferente". Por eso algunas personas que tienen medios para permitírselo, y a veces las que no, compran ropa, automóviles, aviones, casas y muebles de estilo radical, para llamar la atención y ser exclusivas. Es natural, por lo tanto, que la persona que presta un servicio superior en calidad y cantidad a lo que se le paga destaque con un contraste audaz. Si eres un empresario prudente, tomas nota de esa persona. Sólo un empresario con poca visión de futuro intenta retener una remuneración adecuada a un empleado así, porque algún otro empresario más inteligente pronto encontrará y ofrecerá a esa persona un trabajo mejor.

La ley de la oferta y la demanda viene al rescate del empleado que hace más de lo esperado y se asegura de que un empleador u otro le compense. Siempre hay demanda de los servicios de estos empleados y tan pocas personas respetan el principio que nunca hay exceso de oferta. Por lo tanto, un empresario sabio no fuerza la situación y espera a que se produzca un "enfrentamiento" antes de remunerar.

Un ejemplo de empresario inteligente fue Henry Ford. En una época en que no había sindicatos ni presiones, subió voluntariamente los salarios de sus empleados a cinco dólares diarios, lo que representaba un aumento del 100%. Tuve el privilegio de redactar ese plan, que, por cierto, fue el verdadero punto de inflexión en la vida financiera del Sr. Ford. Su verdadero éxito comenzó con esa medida. La inmensa mayoría de los industriales de la época profetizaban que quebraría dentro de un año.

Lo que ocurrió en realidad fue que el costo de mano de obra del Sr. Ford fue mucho menor, porque cada hombre se convirtió prácticamente en su propio supervisor. Un hombre no quería arriesgarse a perder un trabajo tan bien pagado, porque sabía que no podría conseguir otro igual a la vuelta de la esquina. Se esforzaba más de lo requerido en aquel trabajo. Cambió su actitud mental y la mejor mano de obra del país acudió en masa a Henry Ford. Su rotación de mano de obra se redujo a casi nada. Le compensó de mil maneras asumir la iniciativa de Hacer más de lo esperado. Le pagó con su reputación ante el público e hizo que la gente quisiera comprar un Ford en vez de un automóvil de la competencia. Prácticamente resolvió el problema laboral del Sr. Ford durante casi un cuarto de siglo.

Unas palabras más acerca de esta ley de contraste. Dado que la mayoría de las personas no practican el hábito de Hacer

PUEDE BENEFICIARTE SALIR A LA BRILLANTE LUZ DEL CONTRASTE.

más de lo esperado, sino que siguen la regla contraria de intentar conseguir algo a cambio de nada, tienes una oportunidad de presentarte todavía superior a la anterior si actúas según mi sugerencia y adoptas, y sigues, esta estrategia maestra para ganar autopromociones. Este único principio puede ser la medicina para tu enfermedad económica.

Ya seas asalariado, propietario de una pequeña empresa, médico, abogado o comerciante, puedes beneficiarte al salir a la brillante luz del contraste. Puedes hacer tu parte para reducir el caos y la discordia de este mundo —para promover la armonía en las relaciones humanas dentro de la esfera de tu influencia— si pones en práctica los principios de esta filosofía, y especialmente si prestas servicio según el principio de Hacer más de lo esperado.

He hecho más de lo esperado durante veinte años y sigo haciéndolo. A veces siento deseos de tomarme la vida con calma, pero sé que demasiadas personas están enfermas y necesitan el tipo de medicina que yo puedo darles. No les permitiré que se rindan. Quiero hacer el mejor trabajo posible para todas las personas que me lo permitan.

Ocho

Hacer más de lo que te pagan por hacer inmediatamente conduce al desarrollo de una actitud positiva y agradable, que es uno de los rasgos más importantes de una personalidad agradable.

¿No es maravilloso reconocer que la práctica de este hábito cambia tu actitud mental y la hace agradable, permitiéndote así atraer a otros hacia ti sin exigirles ni pedirles nada? Observa a tu alrededor y toma nota de las personas que conoces. Eso te dará pruebas convincentes de la verdad de lo que digo.

He aquí el secreto para que esto funcione. Empieza mañana y pruébalo por ti mismo. Si deseas cambiar la actitud mental de alguien cercano a ti –digamos, por ejemplo, tu cónyuge– invítala a cenar para darle una sorpresa. Sólo tienes que ir a casa y decirle: "Querida, esta noche vamos a un restaurante de cortes finos de carne a cenar muy bien". Y no estará de más llevarle un ramo de flores de vez en cuando y darle un beso extra. ¿Te das cuenta de que si todos los hombres trataran a su esposa como trataban a su novia antes de casarse, habría muchos jueces de divorcios sin trabajo? Lo que quiero decir es que, por regla general, las personas te devolverán el tipo de actitud que expreses hacia ellas.

¿Cómo consigues que alguien actúe contigo como tú deseas que actúe esa persona? Lo haces actuando primero tú de esa manera. Si la persona no responde la primera vez, no te rindas ni te dejes de hacerlo. No, sigue y sigue y sigue. Luego, si sigues sin obtener resultados, lo que hay que hacer es despedir a tu jefe, si resulta que es la persona sobre la que estás trabajando. ¿Te has parado a pensar alguna vez que si un jefe puede despedir a un empleado, entonces un empleado también puede despedir a su jefe?

Recuerdo una historia ingeniosa acerca de un joven que no conseguía respuesta alguna de su empleador a pesar de sus continuos esfuerzos por aplicar este principio, de modo que el joven decidió decirle a su empleador que buscara a alguien que tomara su lugar. Pero la Depresión estaba en marcha, así que no estaba en condiciones de hacerlo hasta que hubiera ahorrado algo de dinero. Él y su esposa apretaron y ahorraron hasta que tuvieron un par de miles de dólares en el banco y llegó el gran día. Hizo exactamente lo que había planeado hacer durante aquel largo año de abnegación.

Ese joven salió, consiguió otros capitales e inició una empresa por su cuenta, como competidor de su antiguo jefe. Y le fue bien. Ahora tiene la tradición en su planta de que todo nuevo empleado debe acudir a él para una entrevista personal antes de entrar a trabajar. Durante esta entrevista cuenta la historia de cómo empezó su empresa. Le dice al nuevo empleado: "Si tienes las cualidades que creemos y esperamos que tengas, inevitablemente llegará el momento en que tengas la necesidad de decirme que has terminado y, por supuesto, eso marcará la separación de nuestros caminos. Ahora bien, quiero que estés preparado para hacer precisamente eso cuando el sentimiento sea tan fuerte que no puedas resistirlo, de manera que quiero que abras una cuenta de ahorros inmediatamente y que te ocupes de que un porcentaje de tu salario vaya a parar a ella cada día de paga. Puedes llamarlo tu fondo de "independencia" y así será más divertido ahorrar".

No esperes a que ocurran las cosas; enciende un fuego de iniciativa personal debajo de ti.

En consecuencia, no podrías encontrar un grupo de empleados más armonioso, con un verdadero respeto por su jefe. Todos tienen un fondo privado de "independencia" y están en condiciones de separarse en cualquier momento en que las condiciones lo justifiquen. Pero el jefe lo sabe y trata a sus empleados con el respeto que se les debe, de manera que no pierda a su gente valiosa. No les da ninguna excusa legítima para abandonarle.

Esta historia da un ligero "giro" al principio de Hacer más de lo esperado. Todos en la empresa hacen más de lo esperado por un sentimiento mutuo de orgullo independiente por su trabajo. El resultado es un alto rendimiento por empleado, mayores beneficios para la empresa, salarios más altos y una organización empresarial en la que ningún "ismo", salvo el americanismo, puede penetrar.

Nueve

El hábito de prestar más y mejor servicio del que te compensan inmediatamente desarrolla el importante factor de la iniciativa personal, sin el cual nadie puede obtener ningún puesto por encima de la mediocridad, y sin el cual nadie puede adquirir la libertad económica. La iniciativa personal es el rasgo más destacado del típico ciudadano estadounidense: esta es una nación construida literalmente sobre la iniciativa personal.

La iniciativa personal significa hacer lo que se necesita hacer sin que nadie te diga que lo hagas. Es el principio de autoemprendimiento. Hace rodar la pelota. Consigue la acción. Hace que ocurran cosas. No esperes a que ocurran las cosas; enciende un fuego de iniciativa personal en ti y en tus empleados y haz que ocurran las cosas.

Conozco a personas que han recorrido todo el camino de la vida prestando un servicio extra y, sin embargo, han acabado en el asilo de los pobres. Cometieron un gran error. Fueron demasiado comunicativos, lo que dio a todo el mundo la oportunidad de aprovecharse de ellos, y se convirtieron en caballos de tiro de personas perezosas que se aprovecharon de su buena naturaleza y se impusieron sobre ellos. No se puede transigir con la honradez, es cierto, pero la persona debe tener sabiduría y cuidado acerca de decir toda la verdad a todos. Hay personas que pueden aprovecharse, y lo harán, de la persona que es tan ingenua como para pensar que puede revelar todo lo que sabe acerca de todo, porque al hacerlo se deja a sí misma vulnerable a los ataques en puntos vitales.

Ahora, acerca de este hábito de permitir que las personas te impongan, asignándote así el papel de caballo de tiro. Tienes que asegurarte de que la ley de la compensación y la ley del rendimiento creciente empiecen a funcionar para ti. Una cosa es echar el pan al agua y esperar a que vuelva. Pero a veces vuelve mohoso, empapado y poco apetecible. La clave de este principio estratégico de Hacer más de lo esperado es que lo hagas con un propósito premeditado, o Definitividad de Propósito, contando con un retorno justo, en algún momento, en algún lugar. Es echar el pan al agua y luego vigilar adónde va, y a veces es necesario comprobarlo y ver que empieza el camino de vuelta, tal vez con un poco de mantequilla o mermelada.

ENVÍA TU BENDICIÓN JUNTO CON TU SERVICIO, Y LAS BENDICIONES VOLVERÁN A TI.

Al prestar tu servicio extra, asegúrate de que la calidad es buena, la cantidad abundante y tu actitud positiva y expectante, y asegúrate de que no cae como la semilla en terreno estéril. Al agricultor le costaría mucho beneficiarse de las leyes de la compensación y de los rendimientos crecientes si plantara la semilla en una ladera rocosa, o encima de una capa de barro seco. Aquí es donde entra en juego la inteligencia. Recuerda que la inteligencia es uno de los ingredientes importantes del servicio adicional que prestas.

La razón por la que no vivo en un ático ni llevo pantalones delgados en ciertas partes y con los puños desgastados es que no solo soy escritor, filósofo y conferenciante; soy un hombre de negocios, primero, último y siempre. No dudo en reclamar lo que es mío después de haberlo pagado. Espero que esto no te sorprenda. Te revelo la verdad porque creo que puedes necesitarla.

Por todos los medios, haz más de lo esperado y sé una buena persona, pero no seas demasiado buena. Procura que la vida te compense. Si intentas un enfoque y no obtienes los resultados que esperas, intenta otro; tal vez encuentres una mejor acogida y recompensa. Sé por experiencia que los elementos más potentes en este asunto de Hacer más de lo esperado son tu actitud mental y el hecho de hacerlo siempre, como una cosa de hábito. Prepara tu mente correctamente antes de empezar a prestar tu servicio extra. Envía tu bendición junto con tu servicio, y las bendiciones volverán a ti. Toma el consejo de un comerciante de gran éxito que dijo a todos sus empleados: "Cuando envuelvas un paquete, no debes dar solo mercancía; pon también algo de tu corazón".

Diez

Hacer más de lo esperado, sin duda, te da más confianza en ti mismo y te pone en mejor posición con tu propia conciencia. A veces, el sujeto con el que es más difícil llevarse bien es el que camina bajo tu propio sombrero. Es el mismo al que observas cada mañana cuando te afeitas.

Por cierto, si tienes un espejo de cuerpo entero en casa, puede ser una buena idea acercarte a él y conocer a ese individuo. Habla con él acerca de tus planes y propósitos; consigue su cooperación. Explícale cómo has decidido adoptar esta estrategia maestra de prestar un servicio extra con la actitud mental correcta, y obtén su opinión al respecto. Te prometo que te aguarda una rica experiencia cuando lo intentes por primera vez. Disfrutarás de una emoción diferente al hablar deliberadamente con tu "otro yo".

Hace años, cuando yo era asesor en Chicago, un vagabundo de aspecto demacrado vino a mi despacho y me dijo que había sufrido una gran derrota y que un amigo mío me había recomendado como última esperanza para salvarse de la destrucción. Se había propuesto "causar un hoyo en el lago Michigan" si yo no conseguía ayudarle.

Me quedé perplejo. Por todas las apariencias externas parecía alguien sin esperanza. Tenía la mirada apagada de la derrota, los hombros caídos de un hombre golpeado por la vida, el caminar arrastrado de un derelicto humano. Sin embargo, alguien sin duda había reconocido en él algún valor, pues de lo contrario ninguno de mis amigos me lo habría enviado. Tras entretenerle con una conversación mientras mi mente decidía qué hacer por él, mi imaginación, que siempre estaba alerta al Hacer más de lo esperado, introdujo en mi conciencia un ingenioso truco psicológico. Me di cuenta de que no podía hacer nada por él si este truco fallaba, pero pensé que merecía la pena intentarlo.

En la parte trasera de mi despacho privado tenía un espejo de cuerpo entero detrás de unas cortinas. Pedí a mi abatido visitante que se colocara enfrente de la cortina mientras le explicaba que yo no podía hacer nada por él, pero que con mucho gusto le presentaría al único hombre en el mundo que podría ayudarle a recuperar la confianza en sí mismo y a superar la terrible derrota que había sufrido.

Tras llevar la introducción a un clímax dramático, retiré las cortinas y le permití que se viera cara a cara en el espejo. Observó su propia imagen, atónito y sin habla. Tras un largo escrutinio, se volvió, me dio las gracias amablemente y siguió su camino. Sinceramente, nunca esperé volver a ver a aquel hombre, pues pensé que estaba demasiado acabado para volver.

El final de la historia llegó varios meses después. Un día, mientras caminaba rápidamente por la calle, un hombre al que no reconocí, vestido a la moda y con aire de éxito y confianza en sí mismo, me saludó con un "Hola; no me conoce, ¿verdad? Bueno, no le culpo. Soy el hombre quien usted presentó a sí mismo en el espejo de cuerpo entero. ¿Se acuerda ahora? Bueno, quiero estrecharle la mano y pagarle lo que usted fije como honorarios por el servicio que me prestó. Me salvó la vida y nuevamente estoy ganando dinero, con la misma gente que una vez me echó. Usted es el hombre que realmente lo hizo. Nunca podré saldar realmente la deuda que tengo con usted".

Sin duda merece la pena estar en buenos términos con tu propia conciencia, y no conozco mejor forma de asegurarte de ello que Haciendo más de lo esperado en todo lo que haces. Descubrirás que en realidad no tienes que preocuparte mucho acerca de a quién estás favoreciendo con tu servicio extra. Serás compensado.

William Shakespeare escribió: "Sé fiel a ti mismo, y como la noche al día, no podrás ser falso a nadie".

Once

Hacer más de lo esperado te ayuda a superar el destructivo hábito de la procrastinación. Creo que has oído hablar de esa palabra, ¿verdad? Supongo que te dejas llevar por ella de vez en cuando; yo lo hago. Apenas la otra mañana, cuando me desperté, me puse a pensar en la agenda tan apretada de conferencias que había tenido la noche anterior y en lo agradable que sería quedarme en la cama un poco más de lo habitual. Miré a mi alrededor y descubrí que mi esposa, muy atenta, había puesto mi jugo de naranja en la mesilla junto a la cama. Lo bebí con el gusto y el agradecimiento de siempre, pero procrastiné alrededor de una hora más antes de levantarme y empezar mi día. Por supuesto, justifiqué mis actos. Pero quiero decirte que esa hora extra por la mañana puede atraparte fácilmente en un hábito que te costará mucho dinero y oportunidades perdidas.

Cuando tienes el hábito de Hacer más de lo esperado, estás tan ansioso por hacer las cosas que aprendes a amar lo que haces y a la persona por la que lo haces, y muy pronto ese tipo llamado procrastinación se muere de inanición. Puedes estar seguro de que nadie lamenta su muerte.

Doce

Hacer más de lo esperado te ayuda a desarrollar la Definitividad de Propósito, sin la cual no puedes aspirar al éxito. Te proporciona Definitividad de Propósito porque estás moviendo, hablando y actuando en respuesta a un motivo. La persona promedio come, duerme y tiene un trabajo, pero no se mueve realmente con Definitividad de Propósito. Se mueve solo para seguir viviendo, y tiene que contentarse con las migajas de la mesa de la vida; mientras que si adoptara un Propósito Definitivo y prestara más y mejores servicios, podría fijar el salario que le pagará la vida.

Trece

Este hábito te da derecho a pedir ascensos y más remuneración. Mientras hagas solo aquello por lo que ahora te pagan, no tienes ninguna razón lógica para esperar una mayor compensación.

Henry Ford me contó una vez acerca de un joven que acudió a él para pedirle un ascenso, y mientras hablaban de su nuevo salario, el joven no quiso fijar una cifra definitiva; parecía indeciso. El Sr. Ford le sugirió que fuera a trabajar y que le pagarían, a final de mes, justo lo que valía. El joven soltó: "¡Pero si ya estoy percibiendo más que eso!". Sin duda, aquella vez dijo la verdad.

Tienes que hacer aquello por lo que te pagan, para conservar tu puesto de trabajo, pero tienes el privilegio de prestar un excedente de servicio como medio de acumular un crédito de reserva de buena voluntad, ¡que te da derecho a un sueldo más alto y a un mejor puesto! Si no se presta ese excedente, no tienes ningún argumento a tu favor cuando pidas un puesto mejor y un aumento de sueldo. Piénsalo por ti mismo y tendrás la verdadera respuesta a por qué merece la pena *hacer más de lo esperado*.

Aquí me parece importante señalar el error demasiado común de confundir tus necesidades económicas con tus demandas salariales. Si tienes hábitos extravagantes y administras tan mal tus asuntos monetarios que no puedes vivir con el salario que ganas, considera detenidamente que, tal vez, ahora estás recibiendo el valor total del servicio que prestas. Recuerda que

Es importante reconocer el error demasiado común de confundir tus necesidades con tus exigencias salariales.

tanto empresarios como trabajadores deben observar ciertos fundamentos de la economía: no hay escapatoria. Determinados tipos de servicio conllevan los correspondientes salarios máximos, que no es económicamente sensato sobrepasar.

Si la clase de servicio para el que estás capacitado no te reporta la compensación que crees que necesitas, entonces posiblemente debas considerar un cambio de ocupación. Sin embargo, si te gusta el trabajo que haces, quizá haya algún ángulo del mismo en el que puedas prestar una cantidad extra de servicio que justifique tus expectativas de mayores ingresos. Una cosa es segura: "Si nunca haces nada más de por lo que te pagan, nunca te pagarán por más de lo que haces".

Catorce

El hábito de hacer más de lo esperado es uno que puedes adoptar y seguir por iniciativa propia, sin pedir permiso a nadie para hacerlo. Reconozco, por supuesto, que hay ciertos grupos que no animan a sus miembros a prestar un servicio adicional. Yo me negaría a que me privaran de este precioso privilegio.

Este principio de libertad, este privilegio tan preciado de autodeterminación, ha hecho de Norteamérica la nación más rica y libre de la faz de la tierra. Debemos procurar que nada elimine nunca este incentivo a la excelencia. La humanidad ha sido dotada por el Creador del derecho a elegir nuestros pensamientos, y nuestro gobierno ha preservado y defendido el privilegio de ejercer este derecho otorgado por Dios. Este derecho ha hecho de EEUU "la tierra de los libres y el hogar de los valientes".

FÓRMULA C+ C + AM = C

Ahora llamo tu atención a la única fórmula de toda esta filosofía. Se llama "Fórmula C + C + AM = C", y estas son las letras iniciales de la ecuación:

CALIDAD DEL SERVICIO RENDIDO

más

CANTIDAD DEL SERVICIO RENDIDO

más

ACTITUD MENTAL EN EL CUAL EL SERVICIO ES RENDIDO

equivale a:

TU COMPENSACIÓN EN EL MUNDO Y LA CANTIDAD DE ESPACIO QUE OCUPAS EN LOS CORAZONES DE OTROS.

La palabra *compensación* significa aquí todas las cosas que te llegan en la vida: dinero, alegría, felicidad, armonía en las relaciones humanas, iluminación espiritual, paz mental, una actitud mental positiva, capacidad de fe, habilidad y deseo de compartir bendiciones con otros, una mente abierta y receptiva a la verdad sobre todos los temas, sentido de la tolerancia y del juego limpio, y cualquier otra actitud o atributo bueno y digno de elogio que puedas buscar.

Espero que empieces ahora a prestar más y mejor servicio del que actualmente te pagan por prestar, y que empieces a disfrutar de los beneficios especiales de vivir según este principio.

PREGUNTAS PARA CONSIDERAR...

1. Todo este capítulo consiste en explicar los catorce beneficios de Hacer más de lo esperado o de hacer más de lo que te pagan por hacer. ¿Estás de acuerdo en que te compensarán por hacer más? ¿Crees que este acto te conducirá a oportunidades aún más lucrativas? ¿Cuál de los catorce te ha resonado más? ¿Por qué?

2. El hábito de hacer más de lo esperado hace que te beneficies de la ley de la compensación, que dice que ningún acto o hecho se expresará o podrá expresarse sin una reacción equivalente. Para obtener resultados apropiados, la aplicación de esta regla debe ser un hábito, aplicado en todo momento, de todas las formas posibles. ¿Qué hábito elegirás para obtener una reacción equivalente?

_____

_____

_____

_____

_____

_____

_____

_____

_____

_____

_____

_____

_____

_____

_____

3. Los elementos más potentes en este asunto de Hacer más de lo esperado son tu actitud mental y el hecho de hacerlo siempre, como una cuestión de hábito. Prepara tu mente correctamente antes de empezar a prestar tu servicio extra. En una escala del 1 (mala/negativa) al 10 (estupenda/positiva), en un día promedio, ¿cómo calificarías tu actitud? Si tu respuesta no fue10, ¿qué medidas tomarás para mejorar esa puntuación?

_____

_____

_____

_____

_____

_____

_____

_____

_____

_____

_____

_____

_____

_____

_____

4. ¿Eres una persona procrastinadora? ¿Es un hábito reciente o uno que se ha ido asimilando a lo largo de los años? Cuando Hacer más de lo esperado se convierta en un hábito, tu actitud cambiará y la procrastinación dejará de ser un problema. ¿Lo crees? ¿Aceptarás este beneficio de hacer más de lo que te pagan por hacer?

_____

_____

_____

_____

_____

_____

_____

_____

_____

_____

_____

_____

_____

_____

_____

_____

5. *Compensación* se define como: dinero, alegría, felicidad, relaciones armoniosas, iluminación espiritual, paz mental, actitud mental positiva, capacidad de fe, habilidad y deseo de compartir bendiciones con otros, mente abierta y receptiva a la verdad sobre todos los temas, sentido de la tolerancia y del juego limpio, y cualquier otra actitud o atributo bueno y digno de elogio que puedas buscar. Escribe tu definición personal de compensación:

La semilla de una idea sencilla podría no haberse descubierto si no fuera por una derrota temporal.

APRENDER DE LA ADVERSIDAD

El tema central de este principio puede enunciarse en una simple frase: "Toda adversidad lleva consigo la semilla de un beneficio equivalente". Al principio puede resultar difícil aceptar esta afirmación, pero examinemos la evidencia de su verdad antes de emitir un juicio sobre su solidez.

EVIDENCIA DE QUE LA ADVERSIDAD PUEDE CONVERTIRSE EN BENDICIÓN

Cerca de Fort Atkinson, Wisconsin, un granjero llamado Milo C. Jones operaba una pequeña granja. Aunque su salud física era buena, parecía incapaz de hacer que su granja produjera más que lo estrictamente necesario para vivir.

Ya avanzada su vida, le sobrevino una circunstancia inevitable que la mayoría aceptaría como un fracaso. Sufrió una doble parálisis y fue puesto en cama por sus familiares, quienes lo consideraban un inválido "sin remedio".

Durante semanas permaneció en cama, incapaz de mover un solo músculo. Lo único que le quedaba era su mente, el único gran poder al que había recurrido tan raramente porque se había ganado la vida usando su fuerza muscular. Por pura necesidad, descubrió esa mente y empezó a recurrir a ella.

Casi inmediatamente descubrió la semilla de un beneficio equivalente que estaba destinado a compensarle por su desgracia; reconoció la semilla, la hizo germinar mediante la aplicación del principio de la Mente Maestra y la puso a trabajar.

Esa semilla consistía en una simple idea, una idea, recordemos, que probablemente nunca habría descubierto si no se hubiera visto empujado a su descubrimiento por una derrota temporal. Una vez que la idea se hubo organizado por completo en su mente, llamó a los miembros de su familia y se la reveló:

"Ya no puedo trabajar con las manos", comenzó, "así que he decidido trabajar con la mente. Los demás tendrán que tomar el lugar de mis manos. Quiero que planten maíz en cada hectárea de nuestra granja de la que puedan prescindir. Luego empiecen a criar cerdos con ese maíz. Sacrifica a los cerdos cuando sean jóvenes y tiernos, y luego conviértelos en salchichón. Lo llamaremos "Salchichón "Little Pig (cerdito)". Lo venderemos directamente a las tiendas de todo el país".

La familia se puso a trabajar siguiendo las instrucciones. En pocos años, el nombre comercial salchichón "Little Pig" se convirtió en un nombre muy conocido en todo el país. Y la familia Jones se hizo mucho más rica de lo que jamás había soñado. Milo C. Jones vivió hasta convertirse en multimillonario, con toda su fortuna ganada en la misma granja que, antes de su desgracia, no le había dado más que para vivir a duras penas.

¡He aquí! Había cambiado del lado del fracaso del Río de la Vida al lado del éxito de la corriente. El cambio se produjo como resultado directo de un severo revés, con solo la ayuda del poder del pensamiento.

Y uno no puede evitar preguntarse por qué Milo C. Jones tuvo que verse doblegado por una enfermedad física incurable para descubrir el poder y el uso de su propia mente. Algunos pueden quejarse de que la compensación de Milo C. Jones, obtenida a través de una desgracia como la suya, fue solo una compensación monetaria y, por lo tanto, no equivalente a su pérdida.

Sí, eso podría ser cierto si no fuera por la probabilidad de que recibiera otras compensaciones además de la de la ganancia económica. Quizá su mayor ganancia fue de naturaleza filosófica o religiosa, pues su experiencia bien pudo haberle proporcionado una mejor comprensión de sus fuerzas espirituales.

Es un hecho conocido que una enfermedad prolongada suele forzar a las personas a detenerse, observar, escuchar y pensar. Así, la persona puede descubrir el camino hacia la comprensión de esa voz apacible y delicado que habla desde dentro, y tomar nota de las causas que le han llevado a la derrota y al fracaso en el pasado.

Permíteme ahora hablar del hombre que muchos creen que ha sido nuestro ciudadano estadounidense más importante. Nació en la pobreza y el analfabetismo. Las circunstancias de su nacimiento y de sus primeros años de vida no estuvieron bajo su

NO EXISTE LA REALIDAD DEL FRACASO, SOLO LA CIRCUNSTANCIA QUE SE ACEPTA COMO TAL.

control. De joven aspiraba a convertirse en comerciante, pero la adversidad lo alcanzó, y también el sheriff.

Se dedicó al estudio del derecho, pero su falta de habilidad era tal que consiguió solo unos pocos clientes. Se enlistó en el ejército, fue ascendido a capitán y enviado a luchar contra los indios en el Oeste. Cuando regresó, había sido degradado a soldado raso, y algunos creían que había tenido suerte de no haber sido juzgado por un consejo de guerra.

¡Todo lo que tocaba se convertía en fracaso!

Por fin, le sobrevino la mayor desgracia de su triste vida, cuando Anne Rutledge, la única mujer a la que amó de verdad, falleció. Aquella adversidad caló hondo en el alma de Abraham Lincoln, el "don nadie de ninguna parte", despertó las fuerzas secretas de esa alma e ¡hizo nacer al gran Emancipador Estadounidense! Dedicó el resto de su vida a servir a sus compatriotas, convirtiéndose finalmente en el presidente más grande de los Estados Unidos.

En verdad, no existe la realidad del fracaso, solo la circunstancia que se acepta como tal. Si te has visto abatido por circunstancias que consideras indicativas de fracaso, recuerda que en realidad puedes estar frente el necesario punto de inflexión de tu vida, en el que puedes cambiar de rumbo, emprender un nuevo camino, adquirir un nuevo valor, una nueva visión ... y una nueva voluntad de vencer.

Nuestra gran nación, con todas sus riquezas y toda su libertad, es literalmente producto de una derrota temporal, una forma de derrota que despertó en los corazones de nuestros fundadores la determinación que los llevó eventualmente al descubrimiento de esa "semilla de un beneficio equivalente" que conllevaba la derrota.

Las primeras campañas militares de George Washington acabaron en la derrota más desalentadora. Pero Washington estaba destinado a demostrar al mundo que no era necesario aceptar la derrota temporal como un fracaso. Aceptó la derrota como nada más que una inspiración para un esfuerzo mayor y más persistente.

Luego se produjo la batalla de Yorktown, y con ella la batalla experimentó un fuerte giro. Ahora era Lord Cornwallis quien iba a probar la amarga copa de la derrota. Cuando le llegó la hora de la prueba, se hundió en ella. Qué bendición para la humanidad que lo hiciera, pues fue su derrota la que dio origen a la nación destinada a salvar a Gran Bretaña de la aniquilación en la Segunda Guerra Mundial. Esa derrota no solo llevó consigo la semilla de un beneficio equivalente que salvó a Gran Bretaña de la destrucción, sino que bien puede considerarse como la circunstancia que salvó a toda la civilización.

"¡DIOS NUNCA LE QUITA NADA A NADIE SIN SUSTITUIRLO POR ALGO MEJOR!".

El tiempo es implacable a la hora de preservar la semilla de un beneficio equivalente que crece de la derrota. En lugar de llorar por nuestras pérdidas, siempre es más provechoso buscar ganancias ocultas. Los beneficios compensatorios del fracaso y la derrota a menudo no pueden verse ni reconocerse como beneficios hasta que observamos retrospectivamente las experiencias, después de un lapso de tiempo suficiente para proveer una sanidad a las heridas que dejan.

En toda la historia de las luchas y las adversidades de la humanidad no hay evidencia que refute el hecho de que cada adversidad, cada decepción, cada angustia, lleva consigo la semilla de un beneficio equivalente. Un gran filósofo ha dicho con verdad: "¡Dios nunca le quita nada de nadie sin sustituirlo por algo mejor!". La historia de la humanidad demuestra la solidez de esta afirmación. El tiempo eventualmente corrige todos los males y endereza todos los agravios para quienes reconocen que la adversidad enseña lecciones necesarias que solo aprenderíamos experimentándola.

LAS CAUSAS PRINCIPALES DEL FRACASO PERSONAL

La mayoría de las personas desean evitar el fracaso siempre y cuando puedan anticiparse a él. Por lo tanto, examinemos las principales causas del fracaso personal, tal como han sido catalogadas gracias al análisis de más de treinta mil hombres y mujeres que se han visto superados por el fracaso:

1. El hábito de andar a la deriva por la vida sin un propósito principal definitivo

2. Herencia física desfavorable al nacer

3. Curiosidad entrometida en relación con los asuntos de otras personas

4. Falta de educación adecuada

5. Falta de autodisciplina, que se manifiesta generalmente a través de excesos en la comida, la bebida y las relaciones sexuales, e indiferencia hacia las oportunidades de progreso personal

6. Falta de ambición para aspirar a superar la mediocridad

7. Mala salud, a menudo debida a pensamientos negativos y a una dieta inadecuada

8. Influencias ambientales desfavorables durante la primera infancia

9. Falta de perseverancia en llevar a cabo lo que empiezan

10. Una actitud mental negativa en general

11. Falta de control de las emociones

12. El deseo de algo a cambio de nada

13. No tomar decisiones de forma rápida y definitiva aunque se conozcan todos los detalles

14. Uno o más de los siete temores básicos: 1) temor a la pobreza; 2) temor a la crítica; 3) temor a la mala salud; 4) temor a la pérdida del amor; 5) temor a la pérdida de la libertad; 6) temor a la vejez; 7) temor a la muerte

15. Selección inadecuada de la persona con quien se casa

16. Exceso de precaución en las relaciones profesionales y de negocios, o falta de toda precaución

17. Mala elección de socios en los negocios

18. Selección errónea de la vocación u ocupación

19. El hábito de gastar indiscriminadamente sin un presupuesto para controlar los ingresos y los gastos

20. No presupuestar ni usar adecuadamente el tiempo

21. Falta de control sobre la lengua

22. Intolerancia: una mente cerrada, basada generalmente en la ignorancia o los prejuicios en relación con temas religiosos, políticos y/o económicos

23. Falta de cooperación en un espíritu de armonía cuando la cooperación es esencial para el éxito

24. La posesión de poder o riqueza que no se ha ganado ni merecido

25. Falta de espíritu de lealtad donde la lealtad es debida

26. Egotismo y vanidad sin control

27. El hábito de formar y expresar opiniones no basadas en hechos

28. Falta de visión e imaginación

29. Deseo de venganza por agravios reales o imaginarios

30. Falta de voluntad para seguir el hábito de Hacer más de lo esperado

Estos son los tropiezos que hacen que la mayoría de las personas pierdan el equilibrio y se hundan en la derrota. Fíjate en esta lista y podrás disfrutar de los beneficios sin tener que pagar un precio tan alto por ello como alguien que encuentra el éxito a través de la adversidad y la derrota.

Pero si el fracaso te alcanza, no pierdas el tiempo preocupándote por él. Te resultará más provechoso dedicar ese tiempo a buscar la semilla de un beneficio equivalente y luego germinar y desarrollar el crecimiento de esa semilla.

Así pues, este principio proporciona alimento para la esperanza a todos los que han intentado algo y han fracasado, porque aún queda la oportunidad de empezar de nuevo.

LA REACCIÓN DE UN HOMBRE A LA ADVERSIDAD

Un hombre que perdió una gran fortuna durante la depresión económica que comenzó en 1929 tuvo el valor suficiente para enumerar los beneficios que obtuvo de su pérdida. He aquí su historia en sus propias palabras, que deberá hacer reflexionar seriamente a otros que creen que la seguridad consiste enteramente en saldos bancarios y riquezas materiales, incluso hoy, muchas décadas después:

> A través de la pérdida de mi fortuna material descubrí una fortuna intangible de proporciones tan enormes que no puede estimarse en términos de cosas materiales.
>
> La depresión económica que comenzó en el año 1929 fue la causa de mi mayor derrota, pero me trajo mi victoria más noble, pues me introdujo a una

filosofía de vida que eliminará el aguijón de todas las derrotas futuras.

La Depresión me privó de mi dinero y otros bienes, pero me enseñó que la independencia absoluta es solo una teoría, que todos dependemos de otros de una forma u otra a través de la vida, independientemente de nuestras riquezas materiales.

Me enseñó que es inútil preocuparse por circunstancias que escapan al propio control.

Que el temor es un estado de la mente que no tiene ninguna base que no pueda eliminarse o curarse de un modo u otro.

Que la cita bíblica "Todo lo que el hombre sembrare, eso también segará" es más que una mera frase poética; es filosofía sólida.

Que cualquier circunstancia que le obligue a uno, o le inspire, a usar su propia Iniciativa Personal con Definitividad de Propósito es beneficiosa.

Que el dinero, los bienes inmuebles, los bonos del Estado y otros bienes materiales en general pueden perder todo su valor a través del temor y de una actitud mental negativa hacia el mundo en general.

Que los pensamientos dominantes de la mente tienen una forma definida de revestirse de su equivalente físico apropiado, tanto si los pensamientos son positivos como negativos.

Que no existe la realidad de algo por nada, ni en los asuntos de los hombres ni en el ámbito de las leyes naturales.

Que existe una ley de compensación que paga a todos los seres humanos con una moneda común, de acuerdo con sus justas deudas, y cobra lo que se les debe hasta el último centavo.

Que hay algo infinitamente peor que verse forzado a trabajar; es ser forzado a no trabajar. Millones de hombres desempleados deben haber aprendido esta misma lección, aunque me temo que la mayoría de ellos no.

Que la posesión física y legal de dinero o bienes no garantiza su permanencia ni su valor.

Que un negocio conducido según la Regla de Oro sobrevivirá a una depresión mientras que los conducidos sin este principio no pueden sobrevivir.

Que las hambrunas siguen a los banquetes con tanta seguridad como la noche al día.

Que un traje de ropa puede llevarse más de una temporada y que no es necesario cambiar de automóvil cada año solo porque cambie el estilo de los modelos.

Que el temor puede propagarse, como una epidemia de enfermedad, mediante el pensamiento y el discurso de masas.

Que es más bendito prestar un servicio útil, y más rentable, que exigir algo a cambio de nada a través de subvenciones gubernamentales o de la caridad pública.

Que la derrota temporal no necesita ser aceptada como definitiva.

Que tanto el éxito como el fracaso se originan en la mente como resultado de los pensamientos dominantes de cada persona.

Que las riquezas consistentes en cosas materiales, sin las riquezas del espíritu, pueden ser un mayor perjuicio que un beneficio.

Que hay verdad en estas paradojas: las bendiciones de la adversidad, la compañía de la soledad, y la voz más destacada es la que habla a través del silencio.

Que las riquezas del bolsillo, sin la humildad del corazón, pueden llegar a ser peligrosas para quienes las poseen.

Que hay una persona de la que se puede depender, sin decepciones, en tiempos de adversidad, y ésa es uno mismo.

Que el sol sale y se pone, el agua fluye cuesta abajo, las estaciones del año van y vienen, las estrellas y los planetas conservan sus lugares habituales en los cielos, y la naturaleza avanza ordenadamente durante una depresión económica igual que en otros momentos; que nada cambia a causa de una depresión, salvo las mentes de los hombres.

Que los hombres responden a la voz de la derrota cuando no quieren escuchar a otras.

Que todos los hombres se vuelven estrechamente afines, en espíritu y en hechos, cuando les sobreviene una catástrofe común.

Que la posesión de grandes riquezas materiales atrae a muchos que profesan una amistad que no sienten genuinamente, y que la pérdida del propio dinero revela la verdadera identidad de todos los que se proclaman amigos.

Expresado en una frase, la depresión empresarial me reveló mi otro "yo", ese yo positivo que había estado descuidando, ese yo que no acepta la realidad de la derrota permanente, ni las pérdidas que no pueden recuperarse.

La derrota permanente no puede existir para la persona que acepta la adversidad con el espíritu descrito por este hombre. Sus pérdidas materiales fueron sustanciales, pues ascendieron a más de lo que un hombre promedio acumula durante toda su vida.

Sin embargo, a través de su pérdida de dinero encontró muchas riquezas infinitamente mayores que todo el dinero que llegó a poseer. Descubrió que tenía una mente capaz de ganar más dinero del que había perdido, e hizo otros descubrimientos de valor aún mayor, entre ellos el hecho de que el hombre que es rico solo en dinero puede ser pobre en los valores más importantes de la vida que traen la felicidad.

Se benefició de la pérdida de su dinero porque aceptó su pérdida como una prueba de su espíritu, y la prueba reveló que tenía un activo oculto en el poder de su mente que era suficiente para todas las emergencias de la vida. Él está en mejores términos consigo mismo, con sus socios y con el público al que sirve, y probablemente está en mejores términos con su Creador porque su derrota le enseñó los valores de la humildad del corazón.

Uno de los amigos de este hombre tomó una visión diferente de sus propias pérdidas durante la Depresión. Consideró su pérdida como un fracaso permanente, se rindió sin luchar y puso fin al asunto saltando desde un edificio alto. La investigación reveló que había tenido la costumbre de ceder a la derrota como si fuera definitiva en relación con la mayoría de las experiencias cotidianas de su vida. Qué bendición habría sido la suya si hubiera sabido que toda adversidad lleva consigo la semilla de un beneficio equivalente. Pero se dejó vencer por una gran emergencia que exigía una gran fuerza de carácter. Él no tenía esa fuerza necesaria, y por lo tanto se rindió a una derrota permanente.

PRUEBAS

La vida parece haber sido diseñada de tal manera que todos los que logran gran éxito deben pasar primero por un periodo de pruebas, a veces muchas, por medio de las cuales se pone a prueba el valor, la fe, la resistencia y la capacidad de superar los obstáculos.

Existen dos circunstancias de gran importancia por las cuales a menudo se nos pone a prueba para que tengamos un carácter sólido. Una es la prueba que llega durante la hora de la gran adversidad y la derrota. La otra es la prueba que se nos presenta tras haber sido coronados con la victoria y el éxito material.

En general, son más las personas que sobreviven a la prueba de la derrota que las que sobreviven a la prueba del éxito, pues la experiencia demuestra que el poder, la fama y las riquezas materiales, sobre todo si llegan con demasiada facilidad o rapidez, a menudo conducen a nuestra ruina.

Existe una extraña pero poderosa psicología en el hábito de ayudar a otros. Lloyd Douglas escribió uno de sus mejores libros al respecto, *La magnífica obsesión*, que se convirtió en un éxito de ventas en todo el país.

En el mundo actual hay mucha necesidad de que adquiramos una "magnífica obsesión" por medio de alguna forma de servicio que ayude a aquellos de nuestros prójimos que están sufriendo una derrota temporal.

Es deseable que los individuos aprendan a convertir la derrota en una ganancia, pero no es menos esencial que los estadounidenses en su conjunto aprendan la misma lección, porque no podemos eludir el hecho de que nuestra seguridad nacional, nuestra riqueza material y todo el estilo de vida estadounidense dependen de que aceptemos y apliquemos el principio de convertirnos en guarda de nuestros hermanos. La mejor manera

La mejor manera de convertir una derrota en una ganancia es a través de cooperación organizada y amistosa.

de convertir la derrota en una ganancia es a través de la cooperación organizada y amistosa. Pero la acción es un elemento fundamental necesario para todos los logros, ya sean individuales o de grupo.

Hay dos tipos de derrota. Una es la clase de derrota que experimentamos en relación con las cosas materiales: la pérdida de dinero, la pérdida de un puesto, la pérdida de la propiedad o la oposición que surge de la fricción en las relaciones humanas. El otro tipo es la derrota interior, en la que perdemos el contacto con las fuerzas espirituales de nuestro ser y, vencidos por el desánimo, el temor, la preocupación o la ansiedad, nos rendimos y dejamos de intentar.

ALGUNOS BENEFICIOS POTENCIALES DEL FRACASO Y LA DERROTA

La derrota habla en un lenguaje que entienden las personas de todas las lenguas.

A menudo, la derrota rompe algún hábito negativo que hemos formado, soltando así nuestras energías para un nuevo comienzo a través de la aceptación de hábitos más deseables. La enfermedad física, por ejemplo, es la forma que tiene la naturaleza de acabar con los hábitos corporales establecidos que han dado lugar a desajustes de los órganos físicos, liberando así al individuo para que forme mejores hábitos, más propicios para una buena salud.

En el proceso de reajustar sus hábitos físicos, muchas personas han descubierto el poder de su propia mente. Así, la enfermedad física se convirtió en una bendición y no en una maldición. La derrota puede tener los siguientes resultados:

- La derrota puede tener el efecto de sustituir la vanidad y la arrogancia por la humildad del corazón, preparando así el camino para la formación de relaciones humanas más armoniosas.

- La derrota puede causar que adquiramos el hábito de hacernos un autoinventario con el propósito de descubrir la debilidad que provocó la derrota.

- La derrota puede conducir al desarrollo de una fuerza de voluntad más fuerte, siempre que la aceptemos como un desafío a un mayor esfuerzo y no como una señal para dejar de tratar. Posiblemente este sea el mayor beneficio potencial de todas las formas de derrota, porque la "semilla de un beneficio equivalente", que existe en las circunstancias de la derrota, reside enteramente en nuestra actitud mental, o en nuestra reacción ante la derrota. Por lo tanto, está bajo nuestro control. No siempre podemos controlar los efectos externos de la derrota, cuando implica la pérdida de cosas materiales o perjudica a otros, pero podemos controlar nuestras propias reacciones ante la experiencia y beneficiarnos de ella.

- La derrota puede romper relaciones indeseables con otros y preparar el camino para la formación de

LA TRISTEZA APORTA HUMILDAD QUE HACE QUE LAS PERSONAS BUSQUEN EN SU INTERIOR LAS FUERZAS CREATIVAS PARA SANAR LAS HERIDAS DEL DOLOR.

relaciones más beneficiosas. Muy pocas personas tienen la suerte de pasar por la vida sin entablar en un momento u otro relaciones sociales, empresariales, profesionales u ocupacionales definitivamente perjudiciales para sus propios intereses, relaciones que pueden romperse nada menos que con alguna forma de derrota.

• La derrota puede llevar a las personas a los pozos más profundos del dolor, donde pueden descubrir fuerzas espirituales que antes no habían reconocido ni aprovechado, como la pérdida de seres amados por la muerte, la ruptura de una relación amorosa o la destrucción de una amistad profunda. Estas son experiencias que nos obligan a buscar consuelo en el interior de nuestra propia alma, y en la búsqueda a veces encontramos la puerta que conduce a una enorme reserva de poder oculto, que nunca se habría revelado si no fuera por la derrota. Este tipo de derrota suele servir al propósito de desviar nuestra atención y nuestras actividades de los valores materiales de la vida a los valores espirituales. Cabe suponer, por lo tanto, que el Creador dotó a los humanos de una profunda capacidad para el dolor, con el fin de aprovechar las fuerzas espirituales de nuestra propia alma.

Se ha dicho que solo una profunda tristeza puede convertir a alguien en un gran artista, un gran músico o un gran escritor, ya que dicha tristeza aporta humildad al corazón y hace que las personas busquen en su interior las fuerzas creativas necesarias para sanar las heridas del dolor.

La persona que puede atravesar una derrota que aplasta las emociones más sutiles, y aun así evitar que su alma interior se vea asfixiada por la experiencia, puede llegar a dominar el campo que haya elegido. A partir de tales experiencias se han desarrollado muchos de los grandes músicos, poetas, artistas, constructores de imperios y genios literarios del mundo. La historia está repleta de pruebas de que los artistas verdaderamente grandes en todos estos y en otros campos del esfuerzo humano, obtuvieron la grandeza a través de alguna tragedia que les introdujo en las fuerzas escondidas de su propio ser.

Cuando alguien encuentra estas fuerzas que se revelan desde dentro, es posible que esa persona descubra que pueden transmutarse en cualquier forma deseada de esfuerzo creativo, en lugar de servir meramente como medio para sanar las heridas del corazón. Éstas son las fuerzas que pueden llevar a grandes

Forma hábitos que se niegan a reconocer la derrota como algo más que un desafío a un mayor esfuerzo.

alturas de logro individual, en un espíritu de humildad, que es lo único que puede hacer a uno verdaderamente grande.

EL ÉXITO Y LA HUMILDAD

El éxito sin humildad de corazón es propenso a ser solo temporal e insatisfactorio. La evidencia de esto se puede encontrar en la mayoría de los casos en los que las personas alcanzan el éxito repentinamente sin la experiencia de la dificultad, la lucha y la derrota temporal, las grandes fuerzas disciplinarias de la humanidad.

No tenemos que recurrir a los registros del pasado, ni a los ejemplos más notables de grandeza, para demostrar que la derrota puede convertirse en una ventaja de gran valor. Si examinamos los registros de hombres y mujeres en los ámbitos más humildes de la vida, nos convenceremos de que quienes obtienen el éxito son aquellos que han adoptado el hábito de aceptar la derrota como nada más que un impulso hacia una acción mayor y mejor planificada.

Y descubriremos, también, que el éxito individual suele ser en proporción exacta con la magnitud de la derrota que el individuo ha experimentado y dominado.

El temor, las limitaciones autoimpuestas de la mente y la aceptación de la derrota temporal como definitiva son algunos de los lazos más fuertes que hacen que las personas estén "atadas en pozos bajos y en miserias". Pero estos lazos pueden romperse. Pueden convertirse en beneficios de valor incalculable

UN CARÁCTER SÓLIDO NO SE RINDE A LA DERROTA SIN LUCHAR.

mediante la formación de hábitos que se niegan a reconocer la derrota como algo más que un desafío a un esfuerzo mayor.

Pero el hombre que ha descubierto la fuente de su propio poder mental no aceptará la versión "poética" de Shakespeare de que la oportunidad descuidada puede atar a los hombres en bajíos y en miserias durante toda la travesía de su vida.

No, la travesía de la vida puede interrumpirse, modificarse, cambiarse y reorientarse hacia fines más elevados y nobles, y a menudo se reorienta así a través del fracaso y la derrota. Sería un gran fatalismo aceptar la teoría de que no hay más que una "marea en los asuntos de los hombres que, tomada en el momento de crecida conduce a la fortuna", o que si no se hace, ata a los hombres en bajíos y miserias durante toda su vida. Sería más correcto decir que existe tal marea que fluye eternamente, y que puede tomarse en el momento de crecida omitir hacerlo a voluntad, según las propias reacciones a las experiencias de la vida. ¡Pero los efectos de la marea no son irrevocables!

Un hombre puede omitir aprovechar la marea de la oportunidad en su crecida durante la mayor parte de su vida, como de hecho han hecho muchos hombres, y aun así cabalgarla hacia la fortuna tomando posesión de su propia mente y aplicándola en la persecución de un Propósito Principal Definitivo.

Estas líneas de la obra de Shakespeare son una poesía excelente, pero no una filosofía tan excelente.

El momento más importante en la vida de cualquier persona es cuando reconoce su derrota. Es el más importante porque les proporciona un medio fiable para predecir las posibilidades de su éxito futuro.

Si la derrota se acepta como una inspiración para intentar de nuevo con confianza renovada, la obtención del éxito será solo cuestión de tiempo.

Si la derrota se acepta como definitiva y tiene el efecto de destruir la confianza de alguien, la esperanza de éxito también puede abandonarse. "La derrota", afirmó una persona, "obliga a un hombre a decidir si es un hombre o un ratón". La derrota sirve a menudo para liberarnos de nuestra vanidad, pero que nadie se engañe en cuanto a la diferencia entre la vanidad y la confianza en uno mismo basada en un inventario honesto del carácter personal. Las personas que desisten cuando les alcanza la derrota indican con ello que confundieron la presunción con la confianza en sí mismas.

Si una persona tiene auténtica confianza en sí misma, también tiene un carácter sólido, pues uno evoluciona del otro, y el carácter sólido no se rinde ante la derrota sin luchar.

La educación, la habilidad y la experiencia son activos útiles en cualquier llamado, pero serán de poco valor para la persona que, como el proverbial árabe del desierto, pliega su tienda y se escabulle silenciosamente cuando es derrotada. Ese tipo de individuo está derrotado incluso antes de empezar.

LA ACTITUD ES CLAVE

Puede decirse, por lo tanto, que la actitud mental de una persona ante la derrota es el factor de mayor importancia que determina si cabalga con las mareas de la fortuna por la orilla del éxito del Río de la Vida o es arrastrada a la otra orilla por las circunstancias de la desgracia.

Las circunstancias que separan el fracaso del éxito a menudo son tan leves que se pasa por alto su causa real. A menudo existen por completo en la actitud mental con la que uno afronta la derrota temporal. Alguien con una actitud mental positiva reacciona ante la derrota con un espíritu decidido a no aceptarla. Alguien con una actitud mental negativa reacciona ante la derrota con un espíritu de aceptación desesperanzada y resignación.

Y ahí tienes la historia que explica la verdadera razón de la mayoría de los fracasos y de la mayoría de los éxitos. Reside en ese "algo" intangible pero poderoso llamado "actitud mental positiva".

Toda persona que mantiene tal actitud puede tener cualquier cosa –dentro de la razón– que su corazón desee.

Puede que la persona se tope con la derrota –probablemente muchas derrotas–, pero no sucumbirá ante ella. Ese tipo de personas la convertirán en un trampolín y lao usarán para elevarse a terrenos de logro cada vez más altos.

Qué extraño es que las personas con educación, habilidad, experiencia y gran inteligencia no reconozcan tan a menudo

¡La fe y una actitud mental positiva son gemelas!

el hecho de que una actitud mental positiva supera todas estas ventajas con respecto a la obtención de un éxito duradero.

Todo el secreto de cómo la derrota puede convertirse en una ventaja consiste en nuestra capacidad para mantener una actitud mental positiva a pesar de todas las circunstancias de la derrota. Esto no es una mera opinión mía. No es una regla hecha por el hombre: forma parte de los imponderables fenómenos de la naturaleza a través de los cuales se ha provisto a los humanos del privilegio de recurrir al poder de la fe.

La fe y una actitud positiva son inseparables. La fe es un poder que no puede analizarse en los tubos de ensayo de la ciencia, y sin embargo es el mayor poder del que dispone la humanidad. Y la más extraña de sus cualidades reside en el hecho de que es libre y está tan disponible para la persona más humilde como para la más grande.

PREGUNTAS A CONSIDERAR...

1. ¿Qué has extraído de la historia de Milo C. Jones al principio del capítulo? ¿Cómo puede ayudarte esta historia a lograr tus objetivos?

2. ¿Te has enfrentado alguna vez a un gran desafío en la vida? ¿Hubo algún momento en que supiste que tenías que hacer cambios importantes o se produciría un desastre? ¿Cómo lo afrontaste? El autor escribe: El tiempo eventualmente corrige todos los males y endereza todos los agravios para quienes reconocen que la adversidad enseña lecciones necesarias que solo aprenderíamos experimentándola. ¿Se ha demostrado eso en tu vida?

_____

_____

_____

_____

_____

_____

_____

_____

_____

_____

_____

_____

_____

_____

_____

3. En el capítulo se enumeran treinta causas principales de fracaso personal. ¿Cuántas te han llamado la atención como causa probable de tus fracasos actuales o pasados?

4. El secreto para convertir la derrota en una ventaja consiste en mantener una actitud mental positiva a pesar de todas las circunstancias de la derrota. ¿Qué formas has encontrado de mantener con éxito una actitud mental positiva?

_____

_____

_____

_____

_____

_____

_____

_____

_____

_____

_____

_____

_____

_____

_____

_____

_____

_____

_____

5. La fe y una actitud positiva son inseparables. La fe
es un poder que no puede analizarse en los tubos de
ensayo de la ciencia, y sin embargo es el mayor poder
de que dispone la humanidad. ¿Qué significa para ti
la fe? ¿Cómo defines la fe y cómo afecta a tu compro-
miso para lograr tus objetivos?

¡ GRACIAS POR LEER ESTE LIBRO!

Si alguna información le resultó útil, tómese unos minutos y deje una reseña en la plataforma de venta de libros de su elección.

¡REGALO DE BONIFICACIÓN!

No olvides suscribirte para probar nuestro boletín de noticias y obtener tu libro electrónico gratuito de desarrollo personal aquí:

soundwisdom.com/español

ACERCA DE NAPOLEON HILL

(1883-1970)

*"Recuerda que tu verdadera riqueza no se mide
por lo que tienes, sino por lo que eres".*

En 1908, durante una época especialmente baja de la economía estadounidense y sin dinero ni trabajo, Napoleon Hill aceptó un trabajo para escribir historias de éxito acerca de hombres famosos. Aunque no le proporcionaría muchos ingresos, le ofreció la oportunidad de conocer y perfilar a los gigantes de la industria y los negocios, el primero de los cuales fue el creador de la industria de acero de Norteamérica, el multimillonario Andrew Carnegie, quien se convirtió en el mentor de Hill.

Carnegie quedó tan impresionado por la mente perceptiva de Hill que, después de su entrevista de tres horas, le invitó a pasar el fin de semana en su residencia para que pudieran continuar la conversación. Durante los dos días siguientes, Carnegie le dijo a Hill que creía que cualquier persona podía alcanzar grandeza si entendía la filosofía del éxito y los pasos necesarios para lograrlo. "Es una lástima", dijo, "que cada nueva generación tenga que encontrar el camino del éxito por ensayo y error cuando los principios están realmente claros".

Carnegie continuó explicando su teoría de que este conocimiento podría obtenerse al entrevistar a aquellos que habían logrado la grandeza y luego recopilar la información y la investigación en un conjunto exhaustivo de principios. Creía que llevaría al menos veinte años, y que el resultado sería "la primera filosofía del mundo sobre el logro individual". Ofreció a Hill el desafío sin más compensación que la de que Carnegie haría las presentaciones necesarias y se haría cargo de los gastos de viaje.

Le tomó a Hill veintinueve segundos aceptar la propuesta de Carnegie. Carnegie le dijo después que si se hubiera tardado más de sesenta segundos en tomar la decisión, habría retirado la oferta, porque "no se puede confiar en un hombre que no puede tomar una decisión con prontitud, una vez que tiene todos los datos necesarios, para que lleve a cabo cualquier decisión que tome".

Fue a través de la dedicación incansable de Napoleon Hill como se escribió su libro *Piense y hágase rico*, del que se han vendido más de 80 millones de ejemplares.